ATLAS
DES MIGRATIONS
DANS LE MONDE

Réfugiés ou migrants volontaires

Catherine Wihtol de Wenden
Cartographie de Madeleine Benoit-Guyod

**Cet ouvrage
est coédité avec
le Mémorial de Caen**

**Éditions Autrement
Collection Atlas/Monde**

AUTEUR

Catherine Wihtol de Wenden, directrice de recherche au CNRS (CERI), spécialiste des migrations internationales, enseigne à l'Institut d'études politiques de Paris. Elle a été expert pour de nombreuses organisations internationales et membre de commissions nationales. Parmi ses publications récentes : *Faut-il ouvrir les frontières ?* (Presses de Sciences Po, 1999) ; *L'Europe des migrations* (Documentation française, 2001) ; *La beurgeoisie* (avec Rémy Leveau), (CNRS Éditions, 2001).

CARTES ET INFOGRAPHIES

Madeleine Benoit-Guyod, cartographe-géographe (DESS)

MAQUETTE

Conception et réalisation : Edire

ÉDITIONS AUTREMENT

Direction : Henry Dougier
Coordination éditoriale :
Laure Flavigny et Marie-Pierre Lajot
Communication et presse : Doris Audoux
Direction commerciale : Anne-Marie Bellard

REMERCIEMENTS

Katarina Freter, diplômée de l'IEP de Paris et stagiaire au CERI, a finalisé la recherche cartographique et iconographique, et rédigé la planche sur l'Allemagne. François-Louis d'Argenson, étudiant en maîtrise d'histoire et stagiaire au CERI, a effectué un premier repérage cartographique et bibliographique, et contribué à la rédaction des planches sur les diasporas, le Moyen-Orient, l'Amérique latine, l'Afrique subsaharienne et l'Asie du Sud-Est. Carmen Mitrea, documentaliste au CERI, a mis en forme la bibliographie.

© Éditions Autrement 2005
77, rue du Faubourg Saint-Antoine • 75011 Paris
Tél. 01 44 73 80 00 • Fax 01 44 73 00 12 • www.autrement.com

ISBN 2-7467-0634-2
ISSN 1272-0151

Dépôt légal : mars 2005
Achevé d'imprimer en février 2005 sur les presses de l'imprimerie Corlet à Condé-sur-Noireau (France)

LES SOURCES

Pour rendre compte de ce vaste phénomène, nous avons croisé des sources diverses, appartenant à l'analyse des migrations mondialisées, des dynamiques migratoires régionales et des monographies locales. Mais les sources sont parfois inégales. Elles sont abondantes pour certaines régions du monde (Europe, Amérique du Nord, Australie, Japon), grâce notamment au rapport annuel du Sopemi (OCDE), ou pour certains thèmes (comme les réfugiés), grâce au rapport annuel du HCR. Elles sont incomplètes pour d'autres régions (Afrique subsaharienne, mais aussi Amérique latine et Asie du Sud).

C'est pourquoi notre parti pris, plutôt que de tendre à l'exhaustivité, s'est attaché à montrer les espaces de mobilité humaine qui font sens aujourd'hui et pour demain. Nous avons ainsi dessiné les grandes lignes de partage qui nous ont semblé les plus pertinentes : à la migration traditionnelle Sud-Nord se sont ajoutées des migrations Sud-Sud, Est-Ouest et des circulations intrarégionales très intenses : Europe de l'Est, Afrique subsaharienne, Moyen-Orient, Asie du Sud-Est, Amérique centrale, cône sud latino-américain...

Un enjeu majeur pour le XXIe siècle

En ce début du XXIe siècle, près de 200 millions de personnes vivent en migration. Ce phénomène s'est accéléré, puisqu'on en comptait 120 millions en 1990, 150 millions en 1995 et 175 millions en 2000 : la croissance des migrations est plus rapide que celle de la population mondiale, tout en constituant à peine 5 % de celle-ci.

Cette entrée en mobilité est diversement répartie : plus de 60 % des migrants ne quittent pas l'hémisphère Sud et les trois quarts des réfugiés s'adressent aux pays du tiers monde, chez leurs voisins. 90 % des migrants vivent dans 55 pays seulement. Ce sont les pays développés qui ont été les plus affectés par les migrations, alors que les pourcentages les plus importants de migrants par rapport à la population locale se situent en Océanie (17,8 %), suivie par l'Amérique du Nord (8,6 %) et l'Europe de l'Ouest (6,1 %), contre 1,4 % en Asie, 1,7 % en Amérique latine et 2,5 % en Afrique.

Les migrations internationales sont devenues un enjeu clé depuis le début des années 1990 : chute d'un monde bipolaire avec ouverture des frontières à l'Est, mouvements de réfugiés Sud-Nord, peur de l'invasion, montée de l'islam, développement de mobilités transfrontalières, vitalité des diasporas avec pour effet l'installation dans la mobilité d'un nombre croissant de populations attirées par des villes globales plus que par des pays. De nouvelles figures sociales émergent, avec leurs personnages fétiches : le sans-papiers, le migrant pendulaire, le réfugié, la femme migrante isolée, l'enfant des rues, l'élite qualifiée s'ajoutent aux migrations plus classiques de familles installées et de travailleurs manuels. Certaines frontières géographiques s'effacent devant le désenchevêtrement des peuples (migrations ethniques) et la généralisation des circulations migratoires. D'autres se ferment sous l'effet du contrôle accru des frontières étatiques (visas) ou se forment le long de grandes zones de fracture du monde : la Méditerranée, le Rio Grande. Dans le même temps, les frontières institutionnelles se brouillent entre migrants économiques et politiques, entre pays d'accueil et pays de départ, entre migrations internes et externes car on se trouve souvent dans une situation de transition, d'une catégorie à une autre.

Deux constatations s'imposent : migrations, développement et relations internationales sont étroitement liées dans cet espace mondialisé ; l'État-nation aux frontières fermées et à la population nationale homogène est le grand perdant de ce processus.

ous avons choisi d'adopter une approche par grandes régions du monde, en insis-
ant sur celles qui ont été récemment les plus affectées par les migrations :
- l'Europe, qui ne se considère pas comme terre d'immigration, est devenue, presque
malgré elle, l'une des plus grandes zones d'attraction du monde, avec 1,4 million
d'entrées légales annuelles dans l'Union européenne (contre 900 000 entrées pour
l'Amérique du Nord) ; le premier pays d'accueil est l'Allemagne ;
- l'Asie constitue le plus grand réservoir démographique du monde, avec deux très
grandes diasporas (indienne et chinoise) et une présence massive de celles-ci dans
tous les pays de la région ;
- le monde russe, hier barricadé derrière ses frontières, est entré dans une phase
d'intense mobilité avec divers profils de migrants ;
- le monde arabe connaît une transition démographique à l'origine de reconfigura-
tions migratoires entre pays de départ et d'accueil.

Les explications de ces phénomènes sont à la fois démographiques, économiques, his-
toriques, juridiques, sociologiques, politiques, et conduisent à penser que la migration internationale va se poursuivre et prendre de l'ampleur. On peut escompter :
- une baisse de la fécondité dans les pays riches, qui maintiendront des contrôles aux
frontières à l'égard des plus pauvres ou des moins qualifiés ;
- une exclusion croissante de certaines régions du monde où il n'y a pas d'autre
espoir que de partir (Amérique latine, Afrique subsaharienne, certaines régions
d'Asie) en fuyant la pauvreté, les conflits et les désastres écologiques, avec des millions de morts dans les océans, les montagnes et les déserts ;
- l'émergence des pays intermédiaires, comme le Brésil, le Mexique, l'Inde, la Chine,
avec d'énormes réserves de main-d'œuvre de plus en plus qualifiée mais qui ne
trouve pas de travail sur place et exporte ses compétences à l'étranger ;
- le développement d'une migration clandestine (les « 3 D » : travaux pénibles, sales,
dangereux - *difficult, dirty, dangerous*) pour combler les pénuries de main-d'œuvre,
en partie alimentée par la demande d'asile et des migrants pendulaires sous contrats
à durée déterminée ;
- une migration très qualifiée autorisée à s'installer et à vivre en famille dans les
pays riches et vieillissants.

Les conséquences sont aussi le développement de nouvelles formes de relations
sociales - communautés transnationales, citoyenneté plurielle, double nationalité,
identités négociées, multiculturalisme, diversité religieuse - comme autant de modes
d'incorporation dans les pays d'accueil.

La mondialisation des flux migratoires est récente. Elle était hier circonscrite à quelques pays d'accueil et à quelques pays ou régions de départ, dans un espace souvent marqué par un passé colonial. Au tournant des années 1980, une nouvelle donne migratoire s'est fait jour, liée à de nouvelles formes de mobilité et à de nouveaux migrants, originaires de zones géographiques jusque-là peu engagées dans des flux de population de cette ampleur : Asie centrale et orientale, Europe de l'Est, Afrique centrale.

FLUX MIGRATOIRES DANS LE MONDE

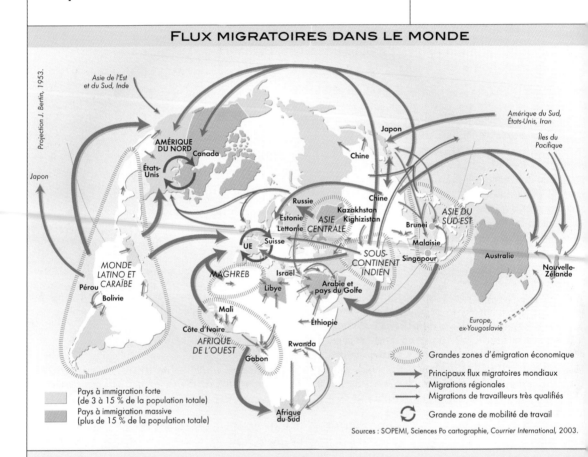

Projection J. Bertin, 1953.

Pays à immigration forte (de 3 à 15 % de la population totale)

Pays à immigration massive (plus de 15 % de la population totale)

〰〰 Grandes zones d'émigration économique

➡ Principaux flux migratoires mondiaux

→ Migrations régionales

→ Migrations de travailleurs très qualifiés

↻ Grande zone de mobilité de travail

Sources : SOPEMI, Sciences Po cartographie, *Courrier International*, 2003.

Les grandes tendances de la mondialisation des flux

On compte environ 200 millions de personnes déplacées dans le monde, soit 2,8 % de la population mondiale, dont un tiers de migration familiale, un tiers de migration de travail et un tiers de réfugiés. Tous les continents sont concernés et l'existence de nouveaux pôles de départ et d'accueil tend à estomper peu à peu le poids des anciens liens coloniaux et du caractère bilatéral des flux.

Même si les pays d'accueil occidentaux (Europe de l'Ouest, États-Unis, Canada,

auxquels on peut adjoindre l'Australie et le Japon) font l'objet de l'essentiel des analyses, plus de 60 % des migrants ne quittent pas l'hémisphère Sud. Tout porte à croire que la mondialisation des flux migratoires va se poursuivre, du fait de la persistance des écarts de développement et d'une connaissance accrue des filières d'entrée dans les pays d'accueil au regard desquelles les politiques de contrôle des frontières n'ont que peu d'effets.

AUGMENTATION ET RÉPARTITION INÉGALE. O connaît mal l'ampleur des migrations dan le monde, tant l'enregistrement des d verses formes de mobilité est épisodiqu et aléatoire dans les pays les moins dév loppés ou en guerre. Quelques données d base permettent d'évaluer les tendance récentes de la mobilité mondialisée. To d'abord, l'accroissement du nombre de migrants au cours des trente dernières ar nées : 77 millions en 1965, 111 millions e 1990, 140 millions en 1997, 175 million

OPULATION

SOLDES MIGRATOIRES

Solde migratoire
(moyenne annuelle)

500 000 .... ——— 1 000 000
.... ——— 200 000
50 000 .... ——— 5 000

⬤ Solde positif
◯ Solde négatif
⊟ Solde migratoire nul
? Données inconnues

ources : P. Rekacewicz, Le Monde diplomatique,
mai 2002 ; INED, Population et sociétés n° 382,
septembre 2002.

Canada
États-Unis
Mexique
Pérou
Afrique
de l'Ouest
Allemagne
Italie
Europe
Russie
Asie
centrale
Proche-
Orient
Afghanistan
Chine ?
Pakistan ?
Égypte ⊟
Arabie
saoud. Inde
Philippines
Malawi ⊟
Mozambique
Indonésie ⊟
Australie
Afrique
du Sud ⊟

> **Dans son Projet de paix perpétuelle (1795), Emmanuel Kant définit les conditions de l'hospitalité universelle et distingue le droit de visite de l'étranger du droit à l'établissement.**

en 2000. Ensuite, leur inégale répartition : 90 % des migrants vivent dans seulement 55 pays. Enfin, le caractère ponctuel des politiques de contrôle face à l'augmentation rapide des flux transfrontaliers.

Ces migrations, qui ne sont pas massives, ne relèvent ni de la conquête, ni de l'invasion, et demeurent faibles, au regard des déséquilibres mondiaux, constituent néanmoins l'un des enjeux majeurs du XXIᵉ siècle.

Un monde en mouvement : région par région

EUROPE DE L'OUEST. Sur 380 millions de personnes, on comptait, au 1ᵉʳ mai 2004, près de 20 millions de migrants, dont 15 millions de non-communautaires. L'Allemagne est le premier pays, avec 7,3 millions d'étrangers, soit près de 9 % de sa population totale, suivi par la France (3,2 millions, près de 7 %) et le Royaume-Uni (2,4 millions, 4 %), la Suisse (1,3 million, près de 20 %), l'Italie (1,5 million, 2,8 %) et la Grèce (760 000, 10 %). Mais la proportion d'étrangers n'est pas toujours liée à leur poids numérique : Luxembourg, 30 % d'étrangers, Autriche 10 % (voir notamment p. 18-19).

EUROPE DE L'EST. La chute du mur de Berlin a donné lieu à des migrations ethniques de retour (les *Aussiedler* en Allemagne, voir p. 26-27), à des migrations de voisinage (Roumains en Hongrie, Tchèques en Slovaquie, Ukrainiens en Pologne) et, plus encore, à des migrations pendulaires, d'allers et de retours de la part de gens qui s'installent dans la mobilité comme mode de vie (voir p. 18-19 et 20-21).

ÉTATS-UNIS, CANADA, AUSTRALIE. Ils sont confrontés à la croissance de la migration asiatique, et latino-américaine pour les États-Unis. Les accords régionaux de libre échange (Alena) n'ont pas eu d'effet notable sur la diminution des migrations (voir p. 68-69).

AMÉRIQUE LATINE. Migration interne (Brésil) et internationale (Colombiens et Péruviens, Argentins, Mexicains) et de retour (*Nikkeijins* – anciens émigrés japonais en Amérique latine – au Japon, Argentins en Italie). Le passage des Mexicains vers les États-Unis constitue le plus important mouvement de population de la planète. (voir p. 54 à 65).

ASIE ET MOYEN-ORIENT. En Asie, des pays d'accueil aux économies développées (Japon, Hongkong, République de Corée, Taiwan) s'opposent à des pays pour lesquels la migration est une forme de survie (1 Philippin sur 11 vit à l'étranger). Le Moyen-Orient est devenu, depuis la crise pétrolière de 1973, une forte zone d'attraction de main-d'œuvre (35 % d'étrangers en Arabie saoudite, 68 % au Koweït, 75 % dans les Émirats arabes unis). C'est aussi l'une des plus grandes zones de départ du monde.

AFRIQUE. L'Afrique du Nord est devenue une terre d'immigration et de passage pour les migrants sub-sahariens tentés par le détroit de Gibraltar ou les îles siciliennes. Certains pays de départ deviennent des pays d'accueil (Sénégal) et inversement (Côte d'Ivoire, Zimbabwe), d'autres les deux à la fois (Sénégal, Nigeria, Ghana). L'Afrique du Sud attire une migration de voisinage ; l'Afrique des grands lacs et l'Afrique orientale constituent depuis plus de dix ans des zones de départ et d'accueil de réfugiés. (voir p. 44-45).

Pression démographique (surpopulation), pauvreté, crises politiques, désastres environnementaux, regroupement ethnique, religieux, attraction du mode de vie occidental : les facteurs de mobilité se sont modifiés au cours des vingt dernières années.

Le poids des réseaux transnationaux et de l'imaginaire migratoire

Partout dans le monde, la mobilité est régie par des réseaux transnationaux d'origine familiale, économique, commerçante, mafieuse (prostitution) qui ne sont que superficiellement affectés par les politiques de contrôle des frontières mises en œuvre par les pays d'accueil, car la détermination des migrants est souvent plus forte que les stratégies de dissuasion.

L'IMAGINAIRE MIGRATOIRE. Les images télévisuelles sont relayées par le retour des familles immigrées en vacances chargées de biens de consommation parfois inaccessibles sur place et par l'existence de diasporas ou de quasi-diasporas à l'étranger (quelque 50 millions de Chinois dans le monde, près de 3 millions de Turcs et 2 millions de Marocains en Europe, qui alimentent le rêve de l'Eldorado occidental). De plus, la possibilité récente de la détention de passeports dans presque tous les pays du monde, les offres des agences de transport et de passage qui proposent des voyages au long cours contribuent à inscrire les candidats au départ dans une recherche de mieux-être économique, culturel, politique, voire sexuel.

LE PROFIL DES MIGRANTS. Des hommes jeunes et diplômés issus des classes moyennes urbaines, des femmes isolées, scolarisées, aspirant à une indépendance économique et personnelle, des enfants mineurs, des élites très qualifiées, des hommes jeunes peu qualifiés, prêts à offrir leurs bras, des groupes ethniques ou régionaux, installés dans la mobilité – comme les paysans maliens de la région de Kayes, les Chinois de Wenzhou, les Roumains du pays d'Oas venus en France –, des réfugiés dont les régions de départ varient en fonction des grandes zones de conflits, une immigration matrimoniale, enfin.

CROISSANCE DÉMOGRAPHIQUE : PERSPECTIVE POUR 2025

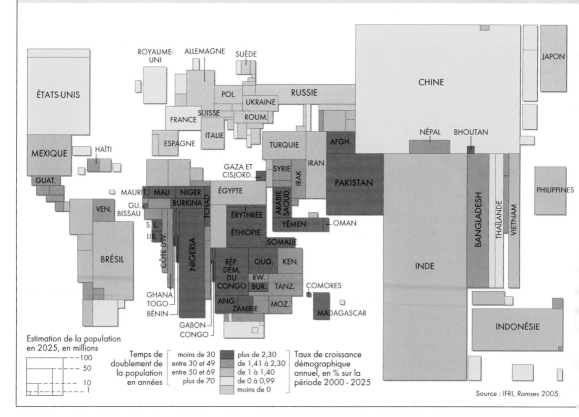

Estimation de la population en 2025, en millions
— 100
— 50
— 10
— 1

Temps de doublement de la population en années
moins de 30
entre 30 et 49
entre 50 et 69
plus de 70

Taux de croissance démographique annuel, en % sur la période 2000 - 2025
plus de 2,30
de 1,41 à 2,30
de 1 à 1,40
de 0 à 0,99
moins de 0

Source : IFRI, Ramses 2005.

RICHESSE ET PAUVRETÉ DANS LE MONDE

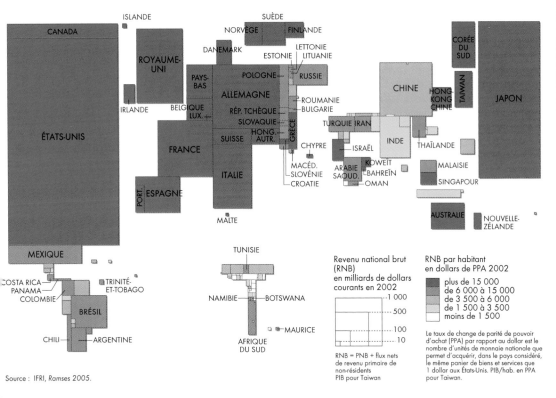

Revenu national brut (RNB)
en milliards de dollars courants en 2002

- 1 000
- 500
- 100
- 10

RNB = PNB + flux nets de revenu primaire de non-résidents
PIB pour Taiwan

RNB par habitant
en dollars de PPA 2002

- plus de 15 000
- de 6 000 à 15 000
- de 3 500 à 6 000
- de 1 500 à 3 500
- moins de 1 500

Le taux de change de parité de pouvoir d'achat (PPA) par rapport au dollar est le nombre d'unités de monnaie nationale que permet d'acquérir, dans le pays considéré, le même panier de biens et services que 1 dollar aux États-Unis. PIB/hab. en PPA pour Taiwan.

Source : IFRI, Ramses 2005.

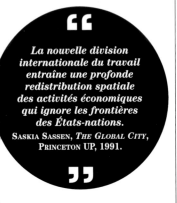

> « La nouvelle division internationale du travail entraîne une profonde redistribution spatiale des activités économiques qui ignore les frontières des États-nations.
> SASKIA SASSEN, *THE GLOBAL CITY*, PRINCETON UP, 1991. »

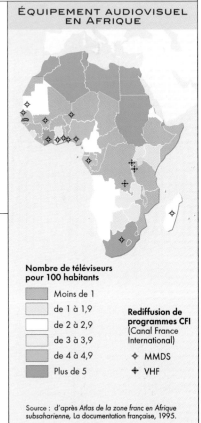

ÉQUIPEMENT AUDIOVISUEL EN AFRIQUE

Nombre de téléviseurs pour 100 habitants

- Moins de 1
- de 1 à 1,9
- de 2 à 2,9
- de 3 à 3,9
- de 4 à 4,9
- Plus de 5

Rediffusion de programmes CFI (Canal France International)

◇ MMDS
✛ VHF

Source : d'après *Atlas de la zone franc en Afrique subsaharienne*, La documentation française, 1995.

Démographie et pauvreté ne sont plus les facteurs essentiels

Ce ne sont pas les plus pauvres qui partent, mais ceux qui disposent d'un réseau, de famille installée à l'étranger, d'un pécule quand le franchissement des frontières est impossible par les voies légales. La seule exception est la migration forcée des réfugiés, mais le tiers monde, producteur et receveur de ces flux, en accueille les trois quarts.

Surtout, on ne part plus définitivement mais pour de courtes durées : c'est la migration pendulaire. Cette aspiration est fortement contrée par la politique des visas : plus les frontières sont fermées, plus les gens s'installent, faute de pouvoir repartir et revenir. Le codéveloppement et la libre circulation des marchandises sont plutôt, à court terme, un accélérateur de la mobilité qu'un frein à celle-ci, comme le montrent les exemples euroméditerranéen (p. 40-41) avec le processus de Barcelone, ou américain (p. 62) avec l'Alena.

Le 17 mars 2002, le cargo Monica transportant 928 Kurdes, dont 361 enfants et un bébé né à bord du cargo, est intercepté par les garde-côtes en Italie. C'est le plus important chargement humain arrivé en Sicile depuis ces dix dernières années. Chaque voyageur avait payé de 3 000 à 4 000 dollars aux passeurs pour cette traversée clandestine. L'attrait du monde occidental, relayé par les télévisions des pays d'accueil regardées dans les zones de départ les plus proches, l'absence d'espoir chez eux, l'exigence de visas les ont conduits à recourir à cette solution aléatoire et dangereuse.

LES GRANDES ROUTES DU TRAFIC D

Projection J. Bertin, 1953.

Source : *The Protection Project*, Johns Hopkins University, 2002.

IMINALISÉES

ERSONNES

Kiribati

Nauru

Trafics d'immigration et de travail : l'esclavage moderne

La fermeture des frontières a créé, au fil des années, une économie du passage clandestin qui s'est muée en un trafic mafieux d'immigration, de faux papiers et de four-
niture de main-d'œuvre. Cette économie de l'immigration clandestine, véritable réseau transnational, pour lequel la frontière est devenue une ressource lucrative,
conduit à des formes d'esclavage moderne.

LE PRIX DU VOYAGE. Les candidats au voyage illégal mettent parfois plusieurs années à
rembourser le coût du transport, quand ils ne trouvent pas la mort, comme à Gibraltar où l'on compte 3 286 cadavres repêchés entre 1989 et fin 2001, soit quelque
10 000 morts en cinq ans dans le détroit (on estime le ratio à un corps retrouvé pour
trois disparus). En Italie, on dénombre officiellement plus de 1 000 morts par an.
Par ailleurs, les clandestins contribuent à l'économie : 28 % du PIB proviendrait de
l'économie informelle dans ce pays. En 2000, la mort de 58 Chinois à Douvres avait
aussi permis de connaître le prix du voyage de la Chine à l'Europe de l'Ouest (de
10 000 à 20 000 euros).

UNE ÉCONOMIE ORGANISÉE. La frontière devient une source de revenus d'autant plus lucrative qu'elle est difficile à franchir, transformant une économie informelle en une
économie organisée : cargos affrétés sous pavillons de complaisance, reconversion
de pêcheurs en passeurs équipés de Zodiacs, rabatteurs à la recherche de bras, cir-
cuits de prostitution. Des villes comme Tanger, Ceuta, Melilla, frontière entre le
Maroc et l'Espagne, ou Vlores, en Albanie, sont devenues des plaques tournantes de
ce commerce. Les filières peuvent, selon les cas, être mafieuses du début jusqu'à la
fin, car les candidats au départ sont mal informés et deviennent parfois victimes du
trafic d'êtres humains. Environ 120 000 personnes originaires de Roumanie,
d'Ukraine, de Moldavie, d'Albanie feraient ainsi l'objet chaque année de trafic crimi-
nel, éblouies par l'argent facile proposé à l'Ouest. Mais peu de recherches exhaus-
tives ont été menées sur ces questions
et il s'agit souvent d'études de cas.

LA LUTTE CONTRE LE TRAFIC. Depuis le
début des années 1990, des sanctions
ont été instaurées par la Commission
européenne à l'encontre des transporteurs (compagnies aériennes) de voyageurs dépourvus des titres exigés et
des trafiquants de main-d'œuvre mais,
chez les trafiquants, le durcissement
des modalités de passage et la sophistication des contrôles a aussi tendance à
faire monter les prix.

Pays et régions à la source
de nombreux trafics

Principaux pays
de destination

Pays à la fois source et
destination de trafics

Données inconnues

● Points de transit importants

→ Principales routes du
trafic de personnes

Trois convergences majeures :

⇒ Destination États-Unis

⇒ Destination Europe occidentale

⇒ Destination Australie

AUSTRALIE

Les flux mis en évidence ne
tiennent pas compte de multiples
trafics à l'intérieur des régions,
compte tenu de la difficulté de
rassembler des données sur des
sujets sensibles d'un point de
vue scientifique.

"

*Il y a une expression
qui revient très souvent
dans la bouche de toutes
les personnes rencontrées :
aller jusqu'au bout.*

SMAÏN LAACHER, *APRÈS SANGATTE*,
ÉD. LA DISPUTE, 2002.

"

On estime à environ quarante millions le nombre de personnes déplacées malgré elles dans le monde, dont plus de la moitié de réfugiés. Depuis ces vingt dernières années, c'est l'Afghanistan qui a produit le plus grand nombre de réfugiés (6 millions depuis les débuts de l'invasion soviétique), dont quatre millions sont retournés chez eux après l'occupation anglo-américaine qui a suivi le 11 septembre 2001 et c'est l'Iran qui a accueilli le plus grand nombre de demandeurs d'asile (4,5 millions), suivi par le Pakistan.

PAYS DE DÉPART ET D'ACCUEIL DES RÉFUGIÉS

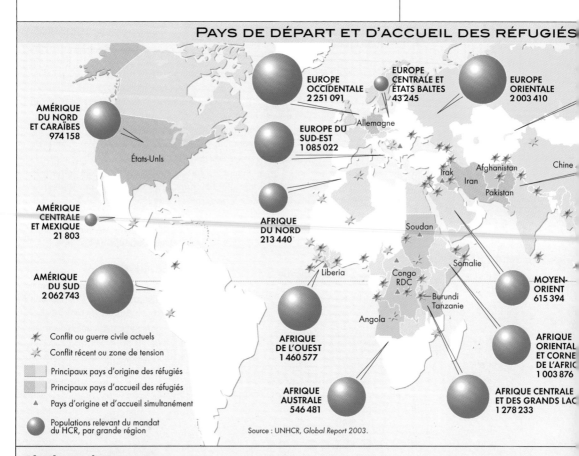

AMÉRIQUE DU NORD ET CARAÏBES 974 158

États-Unis

EUROPE OCCIDENTALE 2 251 091

Allemagne

EUROPE CENTRALE ET ÉTATS BALTES 43 245

EUROPE ORIENTALE 2 003 410

EUROPE DU SUD-EST 1 085 022

Irak
Iran
Afghanistan
Pakistan
Chine

AMÉRIQUE CENTRALE ET MEXIQUE 21 803

AFRIQUE DU NORD 213 440

Soudan

AMÉRIQUE DU SUD 2 062 743

Liberia

Congo RDC

Somalie

Burundi
Tanzanie

MOYEN-ORIENT 615 394

Angola

Conflit ou guerre civile actuels
Conflit récent ou zone de tension
Principaux pays d'origine des réfugiés
Principaux pays d'accueil des réfugiés
Pays d'origine et d'accueil simultanément
Populations relevant du mandat du HCR, par grande région

AFRIQUE DE L'OUEST 1 460 577

AFRIQUE AUSTRALE 546 481

AFRIQUE ORIENTAL ET CORNE DE L'AFRI 1 003 876

AFRIQUE CENTRALE ET DES GRANDS LAC 1 278 233

Source : UNHCR, *Global Report 2003*.

L'asile, un droit en crise

LA CONVENTION DE GENÈVE DU 28 JUILLET 1951. Elle définit comme réfugié « toute personne qui, craignant avec raison d'être persécutée du fait de sa race, de sa religion, de sa nationalité, de son appartenance à un certain groupe social ou de ses opinions politiques, se trouve hors du pays dont elle a la nationalité et qui ne peut ou, du fait de cette crainte, ne veut se réclamer de la protection de ce pays ». La convention pose pour principe qu'un réfugié ne peut être refoulé ou expulsé sur les frontières des territoires où sa vie ou sa liberté serait menacée.

UNE EXPLOSION DE DEMANDES. À l'Est, la montée des nationalismes et les tentatives de désenchevêtrement des nationalités dans les pays multiculturels ont contribué à en élargir la liste. Au Sud, l'émergence de mouvements extrémistes à caractère religieux (Algérie) ou ethnique (Afrique subsaharienne) ont mis en marche des cohortes de plus en plus importantes de demandeurs d'asile. De nouveaux pays sont touchés, tant par les départs (Chine) que par l'accueil (Australie, Royaume-Uni).

L'EUROPE N'EN REÇOIT QU'UN TIERS. Entre 198? et 1995, plus de cinq millions de personnes ont déposé une demande en Europe occidentale, en Amérique du Nord, au Japon ou en Australasie, demandes rejetées pour la plupart. Aujourd'hui, l'Europe reçoit 400 000 demandes annuelles. Beaucoup de pays d'accueil s'abritent derrière le fai? que les requérants seraient des migrants économiques.

L'ASILE INTERNE DANS LES ZONES DE DÉPART

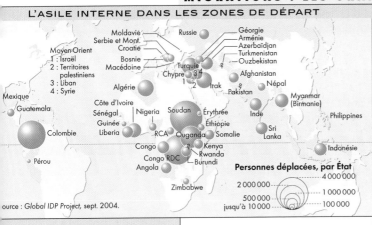

Source : *Global IDP Project, sept. 2004.*

Personnes déplacées, par État

- 4 000 000
- 2 000 000 — 1 000 000
- 500 000
- jusqu'à 10 000 — 100 000

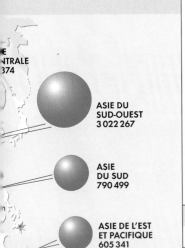

NTRALE
374

ASIE DU SUD-OUEST
3 022 267

ASIE DU SUD
790 499

ASIE DE L'EST ET PACIFIQUE
605 341

LES CHIFFRES DU HCR EN 2003
- 9,97 millions de réfugiés,
- 1,07 million de rapatriés,
- 5,1 millions de déplacés internes,
- 230 000 déplacés internes qui sont rentrés chez eux,
- 1,02 million de demandeurs d'asile
- et 719 000 autres personnes, y compris des apatrides

Deux menaces : sécuritaire et humanitaire

Des pays très pauvres accueillent leurs voisins (ainsi le Malawi a accueilli 1,5 million de réfugiés mozambicains, le Pakistan et l'Iran 4,5 millions d'Afghans durant les années 1980). La prévention, objectif aujourd'hui prioritaire pour le Haut Commissariat aux réfugiés, consiste à la fois à promouvoir la démocratie et les droits de l'homme dans les régions de départ, à lutter contre la pauvreté et à œuvrer pour la reconnaissance de la spécificité de cette migration pas comme les autres. Le droit d'asile risque alors de se confondre avec l'humanitaire d'urgence. La mondialisation du phénomène contribue à cette confusion : il s'agit de plus en plus de réfugiés urbains, empruntant de multiples routes de l'exil, du fait du concours de passeurs organisés, dans un contexte où les normes de protection se dégradent.

DROIT D'ASILE : CHRONOLOGIE

1950	1960	1970	1980	1990	2000

1951. Signature de la convention de Genève sur la protection des réfugiés, sous l'égide des Nations Unies.

1967-1969. Le protocole de New York étend la zone d'application géographique de la convention de Genève initialement limitée à l'Europe et est suivi en 1969 de la convention de l'OUA sur les réfugiés en Afrique.

1978-1990. Le conflit afghan provoque 6 millions de réfugiés, chez les pays voisins et aux États-Unis.

Années 80. Conflits en Amérique centrale, à la source de mouvements de réfugiés chez les pays voisins, au Mexique (Guatémaltèques) et aux États-Unis.

Années 90. Déplacements de population à l'extérieur de l'ex-URSS (vers la Russie et l'Ukraine) suite à des conflits ethniques et territoriaux et à la constitution des nouveaux États de la CEI.

1990. Signature des accords de Dublin sur l'entrée et la condition des réfugiés dans l'espace européen. Ils seront ratifiés en 1997.

1992-1993. L'Allemagne connaît un afflux sans précédent de demandeurs d'asile (438 000 demandes pour cette seule année, soit 20 fois plus que la France ou le Royaume-Uni) et modifie ensuite, en 1993, son droit d'asile dans un sens plus restrictif.

Milieu des années 1990-2000. Les conflits de la région des grands lacs en Afrique sont suivis de mouvements de réfugiés chez les pays voisins et la crise dans l'ex-Yougoslavie met sur les routes des réfugiés bosniaques et Kosovars, notamment, vers les pays voisins.

QUI SONT LES DEMANDEURS D'ASILE ? Beaucoup viennent aujourd'hui de pays du tiers monde (Afrique subsaharienne, Asie du Sud-Est et Chine, Afghanistan) et sont accueillis, pour les trois quarts, par d'autres pays du tiers monde, souvent eux-mêmes «producteurs» et «récepteurs» de réfugiés. De plus en plus, les départs sont collectifs et occasionnés par des discriminations ethniques, sexistes, culturelles ou religieuses, pour fuir à la fois la misère et l'oppression.

La convention de Genève pose pour principe qu'un réfugié ne peut être refoulé ou expulsé sur les frontières des territoires où sa vie ou sa liberté serait menacée.

DEMANDES D'ASILE ANNUELLES EN FRANCE

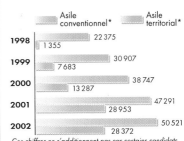

Asile conventionnel*   Asile territorial*

	Asile conventionnel*	Asile territorial*
1998	22 375	1 355
1999	30 907	7 683
2000	38 747	13 287
2001	47 291	28 953
2002	50 521	28 372

Ces chiffres ne s'additionnent pas car certains candidats ont cumulé les deux demandes entre 1998 et 2002.
* voir glossaire
Source : OFPRA, 2003.

LES DIASPORAS

On parle aujourd'hui de diaspora quand un même groupe national ou ethnique est réparti entre plusieurs pays d'accueil, qu'il entretient un fort sentiment communautaire, que des réseaux transnationaux fonctionnent entre les membres du groupe à travers le monde et que des associations contribuent à défendre leurs intérêts collectifs. On parle de nouvelles diasporas : à côté de diasporas bien implantées comme la chinoise ou l'indienne depuis plusieurs décennies, d'autres, plus récentes, résultent de troubles ou de conflits politiques graves, et les dernières sont à peine encore identifiées comme telles.

Les diasporas asiatiques

LA DIASPORA CHINOISE est estimée à environ 30 à 50 millions de « Chinois de l'outre-mer ». Ils sont répartis entre l'Asie du Sud-Est et les États-Unis, le Canada, la Sibérie et l'Europe. Commerçants, hommes d'affaires, ouvriers, étudiants, ils servent souvent d'intermédiaires entre le monde capitaliste et la Chine, où ils réinvestissent une partie de leurs capitaux, tout en entretenant des espaces communautaires aux identités très fortes dans les *China towns* des grandes capitales du monde (voir aussi p. 50-51).

LA DIASPORA INDIENNE, évaluée à 5 à 6 millions de personnes, très présente au Royaume-Uni, s'étend aussi de l'Australie aux Amériques. La diaspora vietnamienne, formée après 1975, rassemble plus d'un million d'individus, dont 70 % vivent aux États-Unis, auxquels s'ajoutent Laotiens et Cambodgiens et, depuis 1990, 500 000 Sud-Coréens installés pour l'essentiel en Californie.

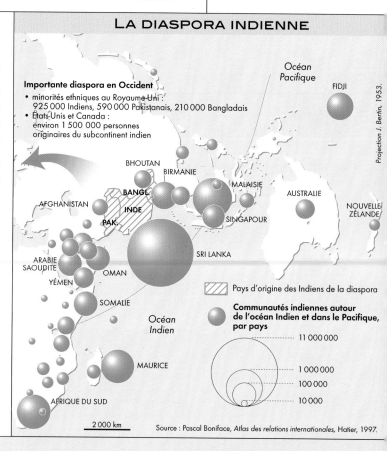

LA DIASPORA INDIENNE

Importante diaspora en Occident
- minorités ethniques au Royaume-Uni : 925 000 Indiens, 590 000 Pakistanais, 210 000 Bangladais
- États-Unis et Canada : environ 1 500 000 personnes originaires du subcontinent indien

Océan Pacifique

FIDJI

BHOUTAN
BIRMANIE
MALAISIE
AUSTRALIE
NOUVELLE ZÉLANDE
AFGHANISTAN
BANGL.
INDE
PAK.
SINGAPOUR
ARABIE SAOUDITE
OMAN
SRI LANKA
YÉMEN
SOMALIE
Océan Indien
MAURICE
AFRIQUE DU SUD

Projection J. Berlin, 1953.

▨▨ Pays d'origine des Indiens de la diaspora

● Communautés indiennes autour de l'océan Indien et dans le Pacifique, par pays
- 11 000 000
- 1 000 000
- 100 000
- 10 000

2 000 km

Source : Pascal Boniface, *Atlas des relations internationales*, Hatier, 1997.

Les « diasporas de la faim »

Les Philippins, présents dans 162 pays, sont au nombre de 7 millions hors de leurs frontières, les transferts de fonds représentent 8,2 % du PNB de leur gouvernement (voir p. 68-69). Autre exemple : l'Amérique centrale, tenaillée entre guerres et famines, produit une diaspora colombienne aux États-Unis. Mais des quasi-diasporas se répandent et se partagent entre plusieurs pays d'installation, tissant un réseau transnational économique, culturel et parfois

politique et religieux. Il en va ainsi des Turcs (près de 3 millions), des Marocains (près de 2 millions), présents dans quatre ou cinq pays européens, des ex-Yougoslaves (1 million), des Grecs, des Italiens ou des Mourides, une minorité musulmane de stricte obédience d'Afrique de l'Ouest unie par les valeurs de la religion, de la solidarité et du travail. Leur ancrage transnational est relayé par un maillage associatif transfrontalier, des transferts de fonds et,

parfois, la mobilité comme mode de vie ou la constitution de métiers ethniques. Les politiques migratoires facilitent parfois ce phénomène en incitant les groupes constitués en associations à interpeller les institutions, soit, involontairement, en créant des causes communes qui relient entre eux des intérêts dispersés et finissent par créer des communautés imaginaires (les sans-papiers, les déboutés du droit d'asile) unies par « la force des liens faibles ».

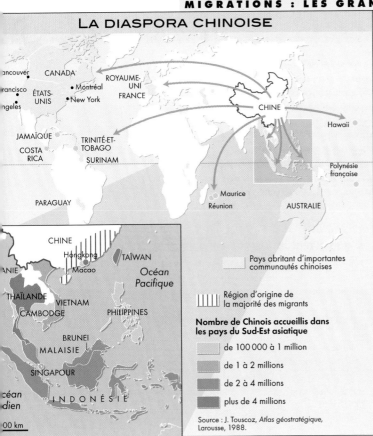

LA DIASPORA CHINOISE

Pays abritant d'importantes communautés chinoises

||||| Région d'origine de la majorité des migrants

Nombre de Chinois accueillis dans les pays du Sud-Est asiatique

de 100 000 à 1 million

de 1 à 2 millions

de 2 à 4 millions

plus de 4 millions

Source : J. Touscoz, *Atlas géostratégique*, Larousse, 1988.

Les diasporas historiques et politiques

AU PROCHE ET AU MOYEN-ORIENT. Les conflits récents ont créé des situations politiques instables, créatrices de nouvelles diasporas : la diaspora libanaise, résultant à la fois d'une tradition de commerce et de la guerre, s'est développée en Amérique latine (Argentine), vers les pays du Golfe, aux États-Unis et en Europe. Elle est forte d'un nombre qui avoisine la population actuelle du Liban (2,5 millions). La diaspora palestinienne, dont la dispersion date de 1948, a pour principaux lieux d'installation les États limitrophes d'Israël (Liban, Syrie, Jordanie, pays du Golfe, Égypte) ainsi que les États-Unis. L'exode afghan a débuté après le coup d'État communiste de 1978 et a entraîné l'éparpillement de 6 millions d'Afghans, surtout vers l'Iran et le Pakistan. Suite au programme de rapatriement mis en place en 1989, par le HCR, une partie d'entre eux sont retournés chez eux, parfois pour repartir ensuite, chassés par le départ des Soviétiques pour les uns, puis par la prise de Kaboul par les talibans en 1996, pour les autres. Ceux qui ont pris la route de l'Occident constituent majoritairement une élite qui cherche à gagner le Royaume-Uni. Mais on les trouve aussi en Allemagne (80 000), en Suisse (2000 fin 1999). Issus des classes moyennes de Kaboul, ils entretiennent des liens intercommunautaires, une relation forte au pays d'origine, la volonté de rester « entre soi » et un mythe du retour.

LES ARMÉNIENS ET LES ROM. La diaspora arménienne, fondée par le génocide turc de 1915, est maintenue par un lien communautaire et un sentiment d'appartenance collective toujours très vivaces. Depuis sa récente indépendance, l'Arménie a ainsi perdu 25 % de sa population dans une diaspora qui perdure. Aujourd'hui quelque 2 millions d'Arméniens vivent en Russie, 1 million aux États-Unis et 400 000 en France. Citons également les Rom, dont la diaspora existe depuis plusieurs siècles et principalement en Europe (voir aussi p. 36-37.)

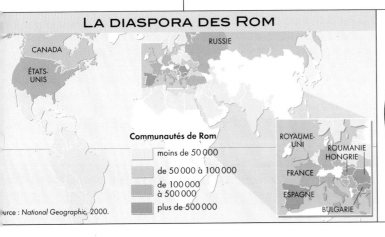

LA DIASPORA DES ROM

Communautés de Rom

moins de 50 000

de 50 000 à 100 000

de 100 000 à 500 000

plus de 500 000

Source : *National Geographic*, 2000.

> « Qu'ils soient victimes de conflits, de persécutions ou d'autres violations des droits de l'homme, les déplacés sont parmi les populations les plus vulnérables au monde. »
>
> KOFI ANNAN, *IN LES RÉFUGIÉS DANS LE MONDE*, PARIS, AUTREMENT, 2000.

L'EXODE DES CERVEAUX

On définit par exode des cerveaux le départ d'élites qualifiées et très qualifiées de leur pays d'origine vers des pays d'accueil plus attractifs pour la réalisation d'un projet professionnel, économique, culturel ou personnel. Mais le terme est vague, désignant aussi bien les élites qui jadis ont quitté l'ancienne Russie ou l'Allemagne en « votant avec leurs pieds » (selon l'expression d'A. Hirschman) que les informaticiens, autres ingénieurs et hauts techniciens d'aujourd'hui, issus du tiers monde et que cherchent à attirer les pays occidentaux.

QUALIFICATION ET EMPLOI DES ÉTRANGERS

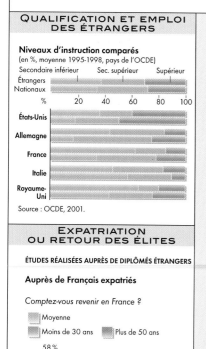

Niveaux d'instruction comparés
(en %, moyenne 1995-1998, pays de l'OCDE)

Source : OCDE, 2001.

EXPATRIATION OU RETOUR DES ÉLITES

ÉTUDES RÉALISÉES AUPRÈS DE DIPLÔMÉS ÉTRANGERS

Auprès de Français expatriés

Comptez-vous revenir en France ?

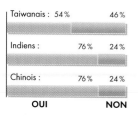

Auprès d'Asiatiques expatriés

Comptez-vous créer une entreprise dans votre pays d'origine ?

	OUI	NON
Taiwanais :	54 %	46 %
Indiens :	76 %	24 %
Chinois :	76 %	24 %

Sources : Sénat/Repères et Anna Lee Saxenian, dans Le Monde, juin 2001.

D'où partent les personnes qualifiées ?

LE BLOC DE L'EST. Au lendemain de l'effondrement de l'ex-URSS, les États-Unis et, à un moindre degré, les pays européens, ont cherché à exercer une stratégie d'influence pour attirer les cerveaux et les talents. En août 1989, les États-Unis ont reçu 18 000 visas de la CEI, 600 000 en 1991, soit 646 000 entre 1989 et 2002, auxquels s'ajoutent les mouvements temporaires de chercheurs et d'experts russes et ukrainiens. En 2000, les États-Unis comptaient 890 530 personnes nées dans l'ex-URSS. De leur côté, dès 1991, les pays européens ont cherché à favoriser la mobilité des chercheurs pour les inciter à rester chez eux dans de meilleures conditions en effectuant voyages d'échanges, séjours d'experts et invitations périodiques avec leurs collègues de l'Ouest. Des jumelages ont été organisés, comme entre l'Institut de Landau de Russie (mathématiques) et l'École normale supérieure de Paris. Côté soviétique, entre 1987 et 1991, ils sont 1 million à quitter le pays. On compte 450 000 départs en 1990, soit davantage qu'entre 1948 et 1986. Une loi de 1991, entrée en vigueur en 1993, autorise les migrants au retour. Dans aucun des pays du bloc de l'Est la question de l'émigration n'était une priorité, d'où une dislocation du potentiel scientifique de la région. Originaires pour la plupart de Russie et d'Ukraine, ces hommes jeunes, diplômés, issus de milieux culturellement privilégiés, partent avec leurs familles à cause de l'impossibilité de vivre normalement chez eux et parfois aussi pour voir du pays : voyager était hier un privilège politique, émigrer une faveur ethnique. Ils peuvent désormais vivre entre deux espaces.

LE TIERS MONDE. Autre réserve de cerveaux, 25 % des diplômés d'Iran travaillent à l'étranger, 26 % du Ghana, 6 % de Corée du Sud. Quelques pays, parfois suite à un choix explicite de leur part, comme l'Inde, produisent plus de diplômés qu'ils ne peuvent en absorber sur leur marché du travail : c'est le cas des professions médicales aux Philippines, des professions scientifiques dans le monde arabe et en Amérique latine (mathématiques, sciences de l'ingénieur, biologie) et de l'informatique en Inde.

LE RETOUR DES ÉLITES. Le départ à l'étranger suscite des espoirs d'installation chez les Asiatiques, mais 54 % des Taiwanais, 76 % des Indiens, 76 % des Chinois, souhaitent créer une entreprise dans leur pays d'origine, selon une enquête de l'OCDE de 2001. Pour certains, les élites ne fuient pas, elles voyagent et, souvent, font bénéficier les pays de départ de l'expérience acquise à l'étranger et des transferts de fonds. Ainsi, l'Irlande et Taiwan, après avoir subi une forte expatriation de leurs élites, en ont ensuite recueilli les bénéfices. Le retour des spécialistes en sciences et technologie serait l'une des principales causes du miracle économique de Taipei et de Dublin. Pour d'autres, une guerre des cerveaux Nord-Sud fragilise les pays en développement : la proportion de diplômés vivant dans les pays de l'OCDE est de 2,7 % pour l'Inde, 3 % pour la Chine, 7,5 % pour l'Égypte, 8 % pour l'Amérique du Sud, 10 % pour les Philippines, 15 % pour la Corée, 2,5 % pour l'Iran, 26 % pour le Ghana et 77 % pour la Jamaïque. Mais rien ne dit qu'ils pourraient développer les mêmes compétences en restant sur place.

LES ÉTUDIANTS ÉTRANGERS DANS LE MONDE (1980-1995)

De 1980 à 1995, le nombre d'étudiants issus de ces 30 pays a augmenté de 80 %, passant de 473 000 à 935 000, soit respectivement entre 27 % et 52 % de l'ensemble des étudiants migrants dans le monde.

Amérique
5 % (4 pays)

Europe
18 % (9 pays)

Afrique
4 % (2 pays)

Asie
35 %
(15 pays)

Principaux pays d'origine des étudiants (1995)
Chine : 116 000
Corée : 70 000
Japon : 63 000
Allemagne : 45 000
Grèce : 44 000
Malaisie : 41 000
Ukraine, Russie,
Kazakhstan : 5 300

Source : J. Bouoiyour, in *La migration Sud-Nord : la problématique de l'exode des compétences.* Association marocaine d'Études et de recherches sur les Migrations, Rabat, 2002, pp. 100-118.

L'ASIE EN TÊTE

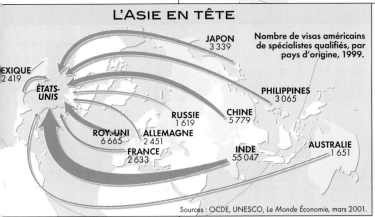

JAPON
3 339

Nombre de visas américains de spécialistes qualifiés, par pays d'origine, 1999.

MEXIQUE
2 419

ÉTATS-UNIS

PHILIPPINES
3 065

ROY.-UNI
6 665

ALLEMAGNE
2 451

RUSSIE
1 619

CHINE
5 779

FRANCE
2 633

INDE
55 047

AUSTRALIE
1 651

Sources : OCDE, UNESCO, *Le Monde Économie*, mars 2001.

Visas d'experts et de qualifiés délivrés par les États-Unis aux Asiatiques (1990-1997)

Pays d'origine	Nombre	%
Inde	97 675	35,5 %
Philippines	55 734	20,2 %
Japon	23 504	8,5 %
Chine	12 367	4,5 %
Total 4 pays	**189 280**	**68,7 %**
Total Monde	**275 278**	**100 %**

Source : États-Unis, Département d'État, 1998.

Où vont les élites ?

Recevoir ou former les élites intellectuelles. Les États-Unis absorbent la plus grande partie de la matière grise mondiale (en 1989, le pays a délivré 48 820 visas à des spécialistes qualifiés et 116 695 en 1999, dont un chiffre passé de 2 144 en 1989 à 55 047 pour l'Inde). Mais ce pays ne les a pas toujours formés. Parmi les pays qui accueillent le plus d'étudiants étrangers, figurent, selon l'OCDE (2001), l'Australie (12 %), le Royaume-Uni (10 %), l'Allemagne (7,5 %), la France (7 %), la Suède (5 %), les États-Unis (2, 5 %). Mais, aux États-Unis, jusqu'en 1995, 31 % des lauréats du prix Nobel en économie étaient nés à l'étranger, 32 % en physique et 31 % en médecine. Et en 1999, 33 % des docteurs en sciences et métiers de l'ingénieur étaient d'origine étrangère, dont 47,2 % en informatique et 47,1 % en mathématiques.

Les programmes d'accueil. Les pays européens se font concurrence pour attirer les travailleurs qualifiés et des quotas ont parfois été fixés pour répondre aux besoins spécifiques de main-d'œuvre hautement qualifiée. Ainsi, le Royaume-Uni a établi un *labour shortage list* (liste des pénuries de main-d'œuvre) en proposant des recrutements dans un délai très court et des avantages divers. En Allemagne, un programme Green Card a été lancé en 2000 pour attirer 20 000 informaticiens, mais 700 000 postes très qualifiés sont à pourvoir (voir p. 26-27). En 1998, la France a accordé la possibilité de recruter des informaticiens en levant les clauses de l'opposabilité de l'emploi aux non-Européens, puis a accordé des visas de travail aux étudiants étrangers qui ont trouvé un emploi stable.

Des succès nuancés. Certains pays de l'Union européenne redoutent toutefois l'invasion des nouveaux Européens de l'Est et ont fixé une période transitoire maximale de sept ans au-delà de laquelle ils bénéficieront de la liberté de circulation et de travail. Mais aucune politique d'immigration hautement sélective ni tentative d'harmonisation entre les pays européens n'est en cours. C'est le Danemark qui accueille le plus d'étrangers diplômés dans l'ensemble de ses flux migratoires (58 %), suivi par la France (44 %) et l'Irlande (38 %). Mais tous ne trouvent pas un travail à la mesure de leurs compétences et la déqualification est le lot de ceux qui sont venus par d'autres voies que la demande des employeurs (réfugiés, regroupement familial).

Au tournant des années 1980, l'Europe est devenue un continent d'immigration. Cette nouvelle donne est mal acceptée par les gouvernements et les opinions publiques car les identités nationales et l'identité européenne ne se sont pas construites autour de l'immigration, à la différence des Amériques et de l'Australie. Pourtant, elle doit faire face au vieillissement et à des pénuries sectorielles de main-d'œuvre, comblées en partie par l'immigration clandestine.

"
Alors que l'efficacité des politiques de maîtrise des flux dépend d'une plus grande confiance dans les instruments européens, chaque pays cherche paradoxalement à rester maître de sa politique migratoire, surtout vis-à-vis de l'opinion.
"

Vers une augmentation des flux ?

La persistance d'une pression migratoire vers l'Europe, à cause des déséquilibres économiques, démographiques, culturels et politiques, subsiste au-delà des frontières externes de l'Europe à l'Est et surtout au Sud, où la Méditerranée fait un peu figure de «Rio Grande», comme entre les États-Unis et le Mexique. À cela s'ajoute l'absence d'alternative véritable à la migration : ni le libre-échange international, ni le développement des régions d'origine, ni les mesures dissuasives de contrôle des flux n'offrent, pour le candidat au départ, une solution à court terme. La dépendance des pays européens à l'égard de l'immigration a des chances de s'accroître, compte tenu de la structure démographique de la plupart des sociétés industrielles (diminution des naissances et augmentation de la population âgée).

LES LIEUX DE PASSAGE CLANDESTINS

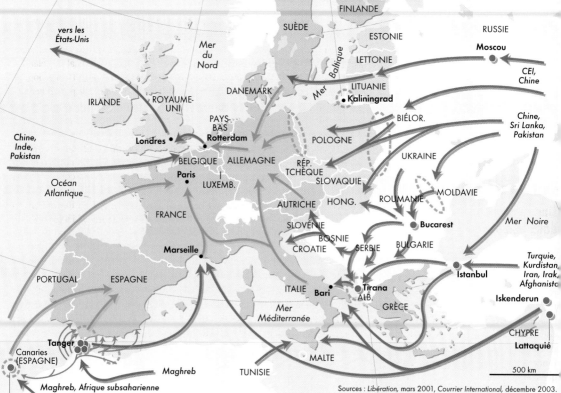

Sources : *Libération*, mars 2001, *Courrier International*, décembre 2003.

) : LES FLUX DE POPULATION

LES ÉTRANGERS DANS L'EUROPE DES 25

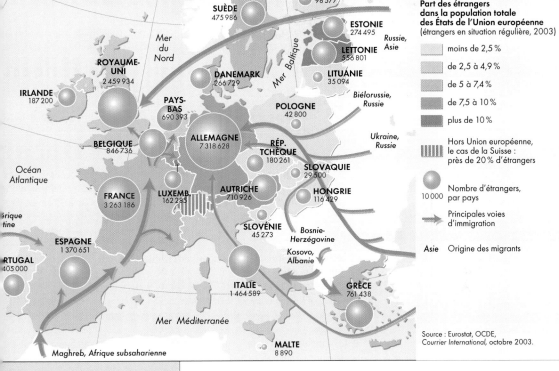

FINLANDE 98 577
SUÈDE 475 986
ESTONIE 274 495
LETTONIE 556 801
LITUANIE 35 094
ROYAUME-UNI 2 459 934
DANEMARK 266 729
IRLANDE 187 200
PAYS-BAS 690 393
POLOGNE 42 800
BELGIQUE 846 736
ALLEMAGNE 7 318 628
RÉP. TCHÈQUE 180 261
SLOVAQUIE 29 500
FRANCE 3 263 186
LUXEMB. 162 285
AUTRICHE 710 926
HONGRIE 116 429
ESPAGNE 1 370 651
SLOVÉNIE 45 273
PORTUGAL 405 000
ITALIE 1 464 589
GRÈCE 761 438
MALTE 8 890

Mer du Nord
Mer Baltique
Océan Atlantique
Amérique latine
Mer Méditerranée
Maghreb, Afrique subsaharienne

Russie, Asie
Biélorussie, Russie
Ukraine, Russie
Bosnie-Herzégovine
Kosovo, Albanie

Part des étrangers dans la population totale des États de l'Union européenne (étrangers en situation régulière, 2003)

- moins de 2,5 %
- de 2,5 à 4,9 %
- de 5 à 7,4 %
- de 7,5 à 10 %
- plus de 10 %

Hors Union européenne, le cas de la Suisse : près de 20 % d'étrangers

10 000 Nombre d'étrangers, par pays

Principales voies d'immigration

Asie Origine des migrants

Source : Eurostat, OCDE, *Courrier International*, octobre 2003.

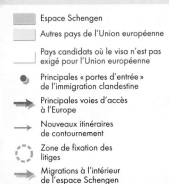

- Espace Schengen
- Autres pays de l'Union européenne
- Pays candidats où le visa n'est pas exigé pour l'Union européenne
- Principales « portes d'entrée » de l'immigration clandestine
- Principales voies d'accès à l'Europe
- Nouveaux itinéraires de contournement
- Zone de fixation des litiges
- Migrations à l'intérieur de l'espace Schengen

Une immigration entrée dans la mobilité

Les pays européens doivent aussi faire face à une immigration plus mobile (les migrants n'aspirent plus nécessairement à se sédentariser), comme les migrations de l'Est ou les réseaux migratoires asiatiques, qui propose aux compatriotes des structures d'accueil ne favorisant pas l'intégration (emploi fondé sur des appartenances ethniques ou régionales).

Un nouveau continent d'immigration

En Europe de l'Ouest, on comptait, au 1er mai 2004, avant l'entrée des dix nouveaux pays, 20 millions d'étrangers, dont 5 millions d'Européens communautaires. Ces étrangers sont inégalement répartis dans les pays d'accueil. Malgré la mondialisation, chaque pays a un peu « ses » étrangers, fruits de l'héritage colonial, de relations bilatérales privilégiées ou de la proximité géographique, les nationalités des populations installées formant ainsi des « couples migratoires » avec les pays d'accueil (Allemagne-Turquie, Royaume-Uni-pays du Commonwealth, France-Maghreb).

LA RÉPARTITION DES FLUX. 60 % des étrangers installés en Europe ont plus de dix ans de séjour. Dans la plupart des pays européens, ces 60 % ne proviennent que de quatre ou cinq pays de départ, même si les pays d'émigration et les types de migrants se diversifient et si une dizaine de pays européens d'accueil seulement concentrent la presque-totalité des immigrés. Quant aux flux, outre la migration familiale, qui est la source d'entrées la plus importante, et la migration de travail, limitée par la préférence européenne à l'emploi, la demande d'asile est la source qui a le plus augmenté au cours des dernières années.

LES ÉTRANGERS EXTRACOMMUNAUTAIRES. La mobilité intra-européenne, assez faible malgré la liberté de circulation, de travail et d'installation des Européens de l'Union, est la plus élevée au Luxembourg, suivi de la Suisse, de l'Irlande, de la Belgique, du Portugal, de la Suède, de l'Espagne et de la Grèce. On constate en revanche que, depuis une vingtaine d'années, la part des étrangers originaires de pays tiers a augmenté et que certaines nationalités ont gagné en importance (Turcs, Marocains, Sénégalais) tandis que des membres de nationalités nouvelles deviennent de plus en plus nombreux dans le paysage migratoire : Pakistanais, Afghans, Sri Lankais, Chinois.

L'Europe politique qui se dessine autour de la Constitution et de la citoyenneté européennes se doit d'être à la fois suffisamment inclusive pour affirmer une identité spécifique et suffisamment ouverte pour recevoir l'Autre, c'est-à-dire le migrant, le réfugié, le musulman. Le vieillissement démographique, les pénuries structurelles de main-d'œuvre, l'image attrayante expliquent la poursuite de l'immigration et sa contribution à la population européenne. Mais celle-ci n'empêche ni le vieillissement de la population, ni les déséquilibres entre actifs et inactifs.

QUELQUES CHIFFRES

• Les Turcs sont la nationalité de non-communautaires la plus nombreuse avec 3 millions, suivis par les ex-Yougoslaves. Le Maghreb constitue une autre origine importante, notamment le Maroc, soit 2,3 millions de Maghrébins en Europe, sans compter les double nationaux, l'Afrique subsaharienne représentant 1 million de ressortissants et l'Asie 2,2 millions.

• 1,5 % des Européens vivent dans un autre État de l'Union que le leur et 47 % déclarent ne parler que leur langue nationale, soit 850 000 personnes.

• Les demandeurs d'asile représentent 400 000 entrées annuelles.

• L'élargissement de 2004 a ajouté à l'Union européenne 75 millions d'habitants. Leur PNB constitue 40 % de celui des pays membres mais on ne s'attend qu'à 335 000 migrants nouveaux, soit 0,1 % de la population actuelle de l'Union européenne.

• En 2000, 5,1 % de la population de l'Union européenne est constituée de non nationaux dont 3,5 % de non-communautaires. La même année, la migration nette (entrées moins sorties annuelles) était de 700 000 migrants, soit 0,2 % de la population de l'Union européenne, dont les trois quarts provenaient des pays tiers.

Les politiques d'intégration

L'HARMONISATION TARDE. On marche vers une certaine convergence : la distinction résidents/non-résidents se substitue peu à peu à celle différenciant les Européens des non-Européens, qui elle-même remplaçait l'opposition entre nationaux et étrangers. Mais l'harmonisation des politiques de séjour tarde... du fait de la résistance des États d'accueil dans des domaines aussi emblématiques pour leur identité que le droit de la nationalité (même si l'équilibre droit du sol-droit du sang s'impose peu à peu). L'importance des politiques locales dans la mise en œuvre de l'intégration au quotidien et le principe de subsidiarité sont aussi des freins (l'intervention de l'Union européenne se limite aux domaines pour lesquels l'action engagée ne peut être réalisée de manière suffisante par les États membres). Tout ce qui a trait à la vie des citoyens, aux identités locales et nationales est confié aux collectivités locales et aux administrations nationales pour rester proche des citoyens. L'intégration des populations de l'immigration entre dans la subsidiarité.

DEUX MODÈLES PRÉVALENT :

• le modèle postcolonial : les anciens colonisés s'établissent dans les anciennes métropoles (France, Royaume-Uni, Pays-Bas et, à un bien moindre degré, Espagne et Portugal) ;

• le modèle fonctionnel des « travailleurs hôtes » (Allemagne, Suisse, Luxembourg), auxquels se rattachent aujourd'hui l'Italie et la Grèce, qui accueillent une migration de travail.

LES TROIS FRONTS DE BATAILLE :

• le droit de la nationalité, plus ou moins « absorbant », selon que les pays d'accueil font une place plus ou moins large au droit du sol et à la durée de résidence pour l'acquisition de la nationalité ;

• la situation du marché du travail, instrument clé de l'intégration et de la socialisation ;

• les politiques d'égalité des chances : politique de la ville (école, logement, accès à l'emploi, soutien social et animation culturelle), lutte contre les discriminations raciales, promotion de la citoyenneté participative grâce au développement de la vie associative et au droit de vote local.

On pourrait y ajouter la place faite à l'islam. L'Europe de l'Ouest compte 12 millions de musulmans, dont 3 ou 4 millions en France (voir p. 30-31). Les pays les plus concernés tentent de faciliter une « citoyennisation de l'islam » par la reconnaissance des structures associatives censées en représenter les tendances.

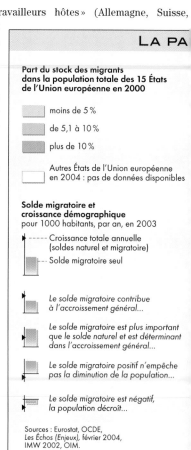

LA PA

Part du stock des migrants dans la population totale des 15 États de l'Union européenne en 2000

 moins de 5 %

 de 5,1 à 10 %

 plus de 10 %

 Autres États de l'Union européenne en 2004 : pas de données disponibles

Solde migratoire et croissance démographique pour 1000 habitants, par an, en 2003

 Croissance totale annuelle (soldes naturel et migratoire)

 Solde migratoire seul

 Le solde migratoire contribue à l'accroissement général...

 Le solde migratoire est plus important que le solde naturel et est déterminant dans l'accroissement général...

 Le solde migratoire positif n'empêche pas la diminution de la population...

 Le solde migratoire est négatif, la population décroît...

Sources : Eurostat, OCDE, *Les Échos (Enjeux)*, février 2004, IMW 2002, OIM.

POPULATION INSTALLÉE

La convention de Genève et l'Union européenne

La convention de Genève fait l'objet d'une interprétation de plus en plus restrictive. À l'échelon européen, les accords de Dublin instituent depuis 1990 une solidarité entre pays européens dans la réponse faite aux demandeurs. Le droit d'asile a été restreint en Allemagne en 1993 et le nombre de demandeurs a été divisé par quatre, passant de 438 000 en 1992 à moins de 100 000 aujourd'hui. La politique d'asile est de plus en plus intégrée à la politique de contrôle de l'immigration des pays européens.

> " L'Europe ancienne était un monde animé sur les routes duquel se rencontraient quotidiennement « migrants », « roulants » et « voyageurs élégants ».
>
> KLAUS BADE, *L'EUROPE EN MOUVEMENT*, PARIS, SEUIL, 2002 (TRADUIT DE L'ALLEMAND). "

DE PLUS EN PLUS DE DÉBOUTÉS. Ceux qui n'obtiennent pas le statut (80 % des demandeurs en France) ne sont souvent ni régularisables ni expulsables, car ils viennent de pays en guerre. Ces déboutés grossissent la cohorte des sans-papiers dans tous les pays européens. Des mesures restrictives ont été mises en place depuis le début des années 1990 pour contenir l'arrivée des réfugiés : liste de pays « sûrs », comme l'Algérie jusqu'aux années 1995, entre pays européens et de pays tiers sûrs de passage et de transit, d'où on ne peut pas demander l'asile ; fichier Eurodac de contrôle des fraudeurs par dactyloscopie ; sanctions contre les transporteurs de clandestins ; traitement en urgence des demandes jugées les moins fondées. Partout les statuts temporaires se sont multipliés pour permettre le retour après la fin des guerres civiles (asile territorial en France de 1998 à 2003, statut B en Allemagne jusqu'en 2004).

ES MIGRANTS DANS LA POPULATION EUROPÉENNE

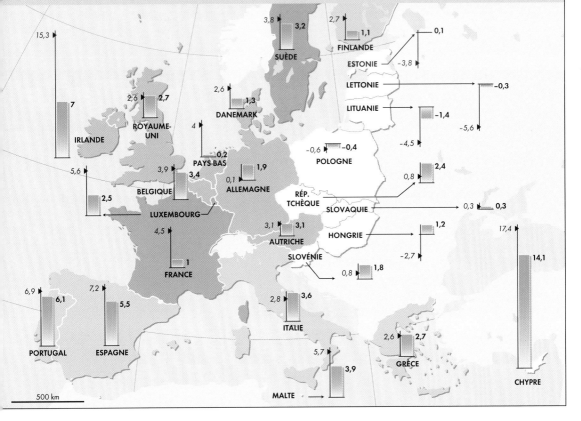

LES FRONTIÈRES DE L'EUROPE

Le 1ᵉʳ mai 2004, l'Europe s'élargit à l'est. Au sud, hormis Malte et Chypre, l'heure est encore à la fermeture. Les sommets européens de Séville (2002) et de Thessalonique (2003) l'ont d'ailleurs rappelé : le tout sécuritaire et la lutte contre l'immigration clandestine sont une priorité essentielle. Mais les frontières, qui reculent, sont peu de choses pour ceux qui veulent entrer coûte que coûte. D'autres frontières se construisent aussi : frontières imaginaires, dans les pays d'accueil ; frontières à distance dans les pays de départ, obligés de contrôler les flux

L'Europe, un espace politique à géométrie variable

Les frontières de l'Europe se déplacent, à la mesure de son élargissement à l'est, mais aussi de ses fermetures internes et externes. De plus en plus, la Méditerranée, loin d'être la « mer du milieu » de l'Antiquité, fait figure de nouveau « Rio Grande » entre sa rive nord et sa rive sud, tandis que de nouvelles frontières apparaissent, à l'est entre la Pologne, la Biélorussie et l'Ukraine ou entre d'autres pays candidats et non candidats à l'Union européenne. Frontières politiques mais aussi économiques, sociales et parfois démographiques sud-nord.

LA LIGNE DES VISAS . Frontières institutionnelles aussi. De nouvelles frontières se construisent autour des visas, pierre angulaire du système européen : entre ceux qui bénéficient de la liberté de circulation, d'installation et de travail, les communautaires, et ceux qui n'en bénéficient pas, les non-communautaires. Mais cette restriction concerne plus encore les non résidents, soumis à visas, les demandeurs d'asile et les sans-papiers et, depuis le 1ᵉʳ mai 2004, les « demi-citoyens » avec les ressortissants de pays de l'Est, autorisés à circuler mais non à s'installer ni à travailler dans l'Union européenne.

FRONTIÈRES CULTURELLES. Autour de l'Autre, du musulman, se forment des barrières tantôt imaginaires, tantôt avivées par le terrorisme, alors que les réseaux économiques transnationaux et les antennes paraboliques cherchent à construire des ponts entre « ici » et « là-bas », au risque parfois d'enfermer leur public dans des espaces de communautarisme coupés du pays d'accueil. D'autres frontières, sociales, s'édifient dans l'ethnicisation des territoires urbains en ghettoïsant les populations.

Une typologie

Gibraltar, Brindisi et Sangatte sont devenus des symboles.

FRONTIÈRES GÉOPOLITIQUES. Les points de passage vers Gibraltar avec ses morts, ses enfants des rues, ses réseaux mafieux, sont une conséquence de la fermeture des frontières entre l'Europe et la Méditerranée. Sangatte en est un autre : il s'agit, pour les candidats au passage, d'aller jusqu'au bout de leur périple, avec une détermination extrême. Mais la frontière fermeture peut aussi devenir une frontière ouverture. En Russie, avec l'entrée dans l'Europe de ses voisins occidentaux, la frontière met en contact avec l'étranger, permettant migration et mobilité, bien que la nouvelle frontière Schengen en Pologne, Slovaquie, États baltes porte un risque de rupture avec ces nouveaux Européens.

FRONTIÈRES INFORMATIQUES ET JURIDIQUES. Aux portes de l'Europe, comme en Roumanie, les visas, le SIS (système d'information Schengen), le recueil de données biométriques, le système Eurodac conduisent à un marché de fabrication d'une « identité de voyage ». Mais ces frontières informatiques sont aussi contredites par d'autres réseaux virtuels, celui des téléphones et ordinateurs portables, qui construisent un maillage transnational et se jouent des frontières.

FRONTIÈRES CULTURELLES ET IMAGINAIRES, où la Méditerranée et l'islam font figure de nouvelle frontière. L'Europe en construction tourne le dos à la Méditerranée, comme le montrent les avatars du dialogue euroméditerranéen. Les hésitations autour de la candidature de la Turquie à l'Union européenne en sont un autre exemple. 49 % des Européens interrogés par un sondage d'Eurobaromètre sont contre et 32 % pour. La Turquie a fait une demande officielle d'adhésion depuis 1987.

LES LIEUX D'ENFERMEMENT

Pays de l'Union européenne

● Camp fermé

◐ Camp ouvert

Camp pour étrangers en demande d'admission

Camp pour étrangers déboutés ou en instance d'expulsion

Camps mixtes

Source : Migreurop, 2004.

LES MORTS AUX FRONTIÈRES

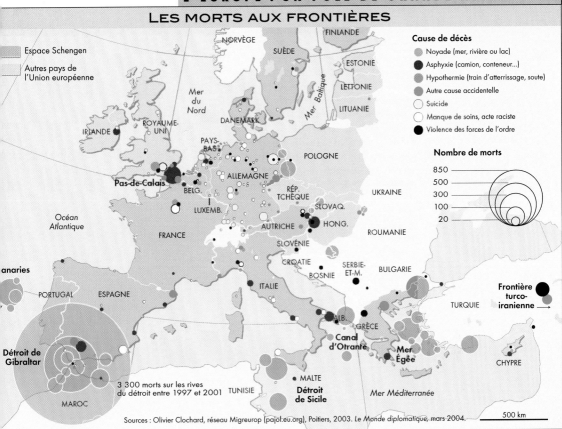

Sources : Olivier Clochard, réseau Migreurop (pajol.eu.org), Poitiers, 2003. Le Monde diplomatique, mars 2004.

> " La frontière n'est pas
> fermée pour tous. Ceux
> qui disposent de diplômes
> recherchés, d'argent
> ou de relations parviennent
> toujours à passer. "
>
> GÉRARD MOREAU, ANCIEN DIRECTEUR
> DE LA POPULATION ET DES MIGRATIONS,
> DÉCLARATION, LIGUE DES DROITS
> DE L'HOMME, 1997.

La frontière, une fermeture et une ressource

La frontière est aussi une ressource. Une économie liée au voyage se construit, par les réseaux qui vivent, légalement ou non, de sa fermeture : trafics de papiers et de visas, agences de voyages clandestins, *trabendo* (voir glossaire), migrations pendulaires, frontalières, migrations d'installation, migrations forcées. Quelques points stratégiques, parfois villes frontières, en sont l'illustration la plus voyante (Gibraltar, Brindisi mais aussi Kaliningrad, Istanbul) et quelques zones d'ombre (Ceuta, Melilla et les Canaries, Vlores, Sangatte), fruit de la peur des uns et du désespoir armé d'un ardent désir d'Europe des autres. Autour de ces frontières, qui protègent les uns (Européens et réfugiés) et qui isolent les autres (les candidats à la migration), des murs se construisent, comme à Ceuta ou à Nicosie, pour dissuader ceux qui cherchent à les franchir ou pour sanctionner la façon dont ils ont été franchis, par l'éloignement et l'expulsion. Deux discours s'affrontent, un discours de mondialisation des échanges et un discours sécuritaire.

Si l'Europe s'enferme dans ses frontières, elle risque de créer de nouvelles fractures à ses portes et à l'intérieur des sociétés européennes. Les fractures externes peuvent alimenter la pression migratoire et de nouvelles transgressions des frontières, tandis que les fractures intérieures peuvent générer violence et extrémismes.

Les camps

Des milliers de camps d'étrangers existent en Europe. On en dénombre environ 200 sur le territoire européen des 25, auxquels s'ajoutent ceux installés dans les pays limitrophes. Il peut s'agir soit de prisons pour des personnes en situation irrégulière, soit de centres de rétention avant la reconduction à la frontière, soit de zones d'attente, soit de lieux d'assistance en vue du regroupement familial ou d'accueil de demandeurs d'asile.

L'Européanisation des politiques migratoires s'est faite en plusieurs étapes. D'abord par la convergence des politiques nationales entre les États européens, assorties de quelques dispositions communes (accords de Schengen en 1985 supprimant les frontières intérieures et renforçant les frontières extérieures, et de Dublin en 1990 sur l'asile). Ensuite par l'inclusion des politiques d'entrée et d'asile dans un processus de décision intergouvernemental (traité d'Amsterdam, 1997), débouchant, le 1ᵉʳ mai 2004, sur la communautarisation des politiques migratoires.

PAYS SOUMIS À LA DEMANDE DE VISAS

Pays dont les ressortissants sont, dans le cadre du traité d'Amsterdam...

- exemptés de visa
- soumis à l'obligation de visa
- soumis à l'obligation de visa et de VTA (visa de transit aéroportuaire)
- * soumis au VTA depuis 2002

Sources : ministère de l'Intérieur, 2003.

UNION EUROPÉENNE — ALBANIE — SYRIE — AFGHANISTAN / PAKISTAN — IRAN — IRAK — BANGLADESH — HAÏTI — LIBYE — INDE — BURKINA — SÉNÉGAL — MALI — SOUDAN — ÉRYTHRÉE — GAMBIE — GUINÉE — ÉTHIOPIE — SIERRA LEONE — SOMALIE — LIBÉRIA — CONGO RDC — CÔTE D'IVOIRE — GHANA — ANGOLA

> " La caractéristique de l'Europe, c'est qu'elle éprouve beaucoup de difficultés à se penser en tant que continent d'immigration, ce qu'elle est pourtant.
>
> PHILIPPE DE BRUYCKER, COMMISSION EUROPÉENNE, MARS 2003, IN LA PENSÉE DE MIDI, ÉTÉ 2003. "

L'Europe à la carte

Le Royaume-Uni, l'Irlande du Nord et la république d'Irlande ne participent pas à la politique commune d'immigration et d'asile, bien qu'ils aient signé la convention de Dublin sur l'examen des demandes d'asile.

Quant au Danemark, membre de Schengen, il n'a pas souhaité être partie prenante des délibérations du titre IV du traité d'Amsterdam sur l'immigration et l'asile, bien qu'il participe à la politique commune des visas. L'Islande et la Norvège, qui appartiennent à l'Union douanière nordique, et les pays candidats à l'Union européenne sont en revanche tenus d'adopter l'intégralité de l'acquis Schengen et de la coopération en matière de justice et d'affaires intérieures.

LES DEMANDEURS D'ASILE

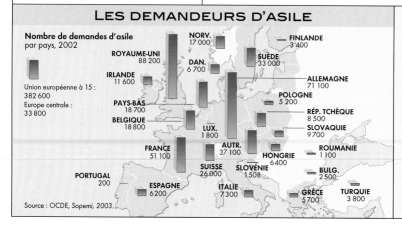

Nombre de demandes d'asile par pays, 2002

Union européenne à 15 : 382 600
Europe centrale : 33 800

NORV. 17 000 — FINLANDE 3 400 — ROYAUME-UNI 88 200 — DAN. 6 700 — SUÈDE 33 000 — IRLANDE 11 600 — ALLEMAGNE 71 100 — PAYS-BAS 18 700 — POLOGNE 5 200 — BELGIQUE 18 800 — RÉP. TCHÈQUE 8 500 — LUX. 1 800 — SLOVAQUIE 9 700 — FRANCE 51 100 — AUTR. 37 100 — ROUMANIE 1 100 — HONGRIE 6 400 — SUISSE 26 000 — SLOVÉNIE 1 508 — BULG. 2 500 — PORTUGAL 200 — ESPAGNE 6 200 — ITALIE 7 300 — GRÈCE 5 700 — TURQUIE 3 800

Source : OCDE, Sopemi, 2003.

L'acquis communautaire

On définit par «acquis communautaire» l'ensemble du dispositif européen, établi notamment depuis les accords de Schengen et de Dublin, incluant la signature et l'application des accords de Schengen, de Maastricht et d'Amsterdam, relatif au contrôle des frontières externes de l'Union, à la libre circulation interne des Européens et aux accords de réadmission.

RATOIRES

Quelques pas vers la communautarisation

Sans l'avouer à leurs opinions publiques, les États européens ont progressé dans la voie de la communautarisation des politiques migratoires, comme le montrent :

• la confiance réciproque des États dans le contrôle des frontières et la solidarité dans le traitement des clandestins, des demandeurs d'asile et des déboutés du droit d'asile ;

• l'alignement progressif du droit des étrangers sur celui des nationaux, fondé sur la résidence et le droit de vivre en famille et non sur le travail ;

• l'imposition aux nouveaux pays entrant dans l'Union de « l'acquis communautaire », qui correspond généralement au plus petit dénominateur commun des lois nationales : régime des visas, principe de l'opposabilité de l'emploi européen à l'emploi étranger, modalités d'accès au statut de résident de longue durée, lutte contre l'immigration et le travail clandestins.

Les visas

Les accords de Schengen ont conduit les États européens signataires à définir une liste commune de pays tiers dont les ressortissants sont soumis à l'obtention de visas pour entrer sur le territoire de l'Union européenne.

On distingue :

– les visas de tourisme Schengen, valables pour l'ensemble du territoire de Schengen pour une durée inférieure à trois mois ;

– les visas nationaux pour une durée supérieure à trois mois aux fins de regroupement familial, de travail, d'études, ou pour raisons sanitaires ;

– d'autres visas (à entrées multiples) s'appliquent aux personnes effectuant de nombreux voyages en Europe, à finalité généralement professionnelle (expertise, commerce, affaires).

LES ÉTAPES DE L'ÉLARGISSEMENT

Pays candidats, adhésion en 2007

TURQUIE (candidature en cours)

1957

Création de la CEE : Allemagne, France, Italie, Belgique, Pays-Bas, Luxembourg.

De 1957 (signature du traité de Rome) à 1968 : mise en place progressive de la liberté de circulation des travailleurs et des mesures sociales qui la garantissent.

1973

Adhésion de l'Irlande, du Royaume-Uni et du Danemark.

1981

Adhésion de la Grèce

• 1985 : adoption de l'Acte unique européen par les pays membres de la CEE qui définit un espace communautaire européen sans frontière grâce à la liberté de circulation des personnes et non plus seulement des travailleurs.
• 1985 : signature des accords de Schengen (n'en font pas partie encore aujourd'hui le Royaume-Uni, l'Irlande et le Danemark) qui ont pour objet de réaliser le laboratoire pour l'Acte Unique. Ses principaux instruments sont :
– l'adoption d'un visa unique de moins de trois mois, obligatoire pour les non communautaires qui veulent pénétrer et circuler en touristes dans l'espace Schengen ;
– la liberté de circulation à l'intérieur des frontières européennes pour les Européens et les détenteurs (non communautaires) d'un visa Schengen et le renforcement des frontières extérieures de l'Union grâce à l'adhésion progressive au système Schengen des nouveaux entrants. Des accords de réadmission sont signés à partir de 1991 avec les pays non communautaires riverains ou voisins de l'Union européenne ;
– l'adoption d'un système informatisé de contrôle, le SIS (système d'information Schengen) pour la mise en ligne des données nationales sur les « indésirables » (clandestins, déboutés du droit d'asile), obligeant tous les États européens à leur refuser le droit au séjour et à les expulser.

1986

Adhésion de l'Espagne et du Portugal

• 1990 : les accords de Dublin définissent à l'échelon de l'Europe des Quinze une politique d'asile commune, assortie d'un dispositif de filtrage renforcé : notion de pays sûr, d'où on ne peut pas demander l'asile, demande manifestement infondée, de sanctions contre les transporteurs.
• 1992 : le traité de Maastricht fait de la liberté de circulation, d'installation et de travail l'un des attributs essentiels de la citoyenneté européenne (définie en son article 8) et distingue ainsi les Européens communautaires des non-communautaires.
• 1994 : l'Union européenne définit une « préférence européenne » à l'emploi.

1995

Adhésion de la Suède, de la Finlande et de l'Autriche

• 1997 : le traité d'Amsterdam intègre « l'acquis Schengen » dans le traité de l'Union européenne et prévoit de faire passer l'asile et l'immigration du troisième pilier intergouvernemental au premier pilier communautaire. Mis en œuvre à partir de 1999 pendant une période transitoire de cinq ans, ce dispositif est entré en vigueur le 1er mai 2004.
• 1999 : le sommet de Tampere définit une politique d'immigration commune à partir d'une évaluation des besoins économiques et démographiques de l'Union européenne et de la situation des pays d'origine, et abandonne l'objectif de « l'immigration zéro ».
• 2000 : adoption en décembre 2000 d'une convention Eurodac sur l'asile pour la comparaison des empreintes digitales des demandeurs d'asile et des personnes ayant franchi irrégulièrement une frontière à partir d'une base de données informatique. L'accès à l'information est ouvert à chaque État membre de l'Union européenne.
Création, en septembre 2000, d'un Fonds européen pour les réfugiés, le FRE, pour cinq ans, chargé de l'accueil, de l'intégration et de l'aide au retour des réfugiés. Le traité de Nice (décembre 2000) prévoit que les États membres passent, à partir de 2004, à la majorité qualifiée pour les décisions concernant l'immigration et l'asile. Le Conseil européen de Nice adopte la Charte des droits fondamentaux.
• 2001 : à Laeken (décembre 2001) les pays européens ont parlé, à propos de l'asile, d'un « équilibre nécessaire » entre la protection des réfugiés, l'aspiration légitime à une vie meilleure et la « capacité d'accueil des États membres ».
• 2002 : à Séville, en juin 2002, les États européens ont décidé d'accélérer le processus d'harmonisation des politiques migratoires, mais ils se sont surtout focalisés sur la lutte contre l'immigration clandestine et l'abus des demandes d'asile : clauses de réadmission, gestion conjointe des flux migratoires, signature d'accords de réadmission entre l'Union européenne et des États « garde-frontières » de l'espace européen. En novembre 2002, la notion de pays tiers sûr pour l'Union européenne, d'où on ne peut pas demander l'asile est élargie aux États membres de l'AELE et aux pays candidats à l'entrée dans l'Union européenne.
• 2003 : la proposition de directive relative à l'accueil des demandeurs d'asile (Dublin II) (2001) s'est conclue par un accord en janvier 2003 visant à accélérer les procédures de dépôt de la demande et à déterminer un seul État responsable de son examen, celui par où le demandeur est entré (« one stop, one shop »).

2004

1er mai 2004 : entrée des dix nouveaux États dans le système Schengen (Estonie, Lettonie, Lituanie, Pologne, République tchèque, Slovaquie, Hongrie, Slovénie, Chypre, Malte).

Communautarisation des politiques d'entrée et d'asile.

L'Allemagne est le premier pays d'immigration et d'asile en Europe depuis 1945. Comme le pays a accueilli l'essentiel des immigrants de l'Est depuis la chute du mur de Berlin en 1989 et les demandes d'asile de la crise yougoslave au milieu des années 1990, les chiffres d'immigration ont doublé depuis 1989. Ainsi, l'Allemagne est passée de 5 millions d'étrangers en 1989 à 7,3 millions aujourd'hui, soit 8,9 % de la population. Trois réformes importantes ont eu lieu : la réforme du droit d'asile en 1993, la loi de 1999 sur le Code de la nationalité et la nouvelle loi d'immigration, qui est entrée en vigueur le 1er janvier 2005.

ARRIVÉES ET DÉPARTS (2002)

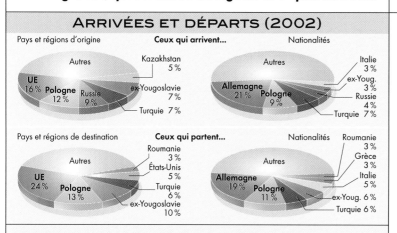

Une nouvelle loi

Adoptée par le Bundestag et le Bundesrat en juillet 2004, elle est entrée en vigueur en 2005. Les dispositions principales sont les suivantes.
• Migration du travail : le système de Green Card est maintenu. Les professions libérales peuvent recevoir un permis de séjour si la personne investit au minimum un million d'euros et crée au moins dix emplois.
• L'asile est étendu aux personnes victimes d'une persécution par des agents non gouvernementaux ou d'une persécution fondée sur le sexe ou sur l'appartenance à un certain groupe social.
• Le statut des personnes bénéficiant de la protection subsidiaire est amélioré. Si les obstacles à l'expulsion persistent au-delà de dix-huit mois, un permis de séjour est attribué.
• La participation aux cours d'intégration est obligatoire pour les nouveaux immigrés extracommunautaires, sous peine de sanctions.
• La politique de sécurité est renforcée : l'expulsion de trafiquants d'êtres humains, de terroristes présumés, de membres de groupes interdits ou de personnes incitant à la haine raciste, est facilitée.
• Les membres de la famille d'un candidat au statut d'*Aussiedler* doivent désormais faire preuve de leurs connaissances en allemand de base.

Premier pays d'immigration d'Europe après 1945

L'IMMIGRATION DE MAIN-D'ŒUVRE. De 1962 à 1973, une politique active de recrutement de main-d'œuvre étrangère, non européenne, a été menée : en 1973, le nombre d'étrangers s'élevait à environ 2 700 000 personnes. À partir de cette date, le regroupement familial a pris le relais. Le premier pays d'origine est la Turquie (29 % des visas accordés dans le cadre du regroupement familial). Aujourd'hui, près de 5 millions de travailleurs étrangers résident en Allemagne. Le programme Green Card a pour objectif d'attirer 20 000 spécialistes d'informatique pour une durée de séjour maximale de cinq ans de 1995 à 2005. En 2002, 2 600 personnes avaient demandé une Green Card (voir aussi p. 16-17).

PREMIER PAYS EUROPÉEN D'ASILE. On fait une différence en Allemagne entre l'asile qui vise la persécution politique et l'asile selon la convention de Genève (voir p. 12-13). La réforme de 2004 met sur un pied d'égalité les deux statuts. L'Allemagne applique aux demandeurs d'asile une liste de pays sûrs comme ceux de l'Union européenne ou comme la Bulgarie, la Roumanie, le Sénégal... Mais aussi une liste d'États tiers sûrs où sont passés les demandeurs d'asile et d'où ils ne peuvent pas faire leur demande d'asile.

L'IMMIGRATION DE L'EST APRÈS 1989. Entre 1990 et 2001, environ 320 000 personnes sont venues en Allemagne dans le cadre d'une migration de travail soit saisonnière, soit en raison d'accords bilatéraux ou concernant des activités transfrontalières. Ce sont des migrations pendulaires entre l'Allemagne et des pays de l'Europe centrale et orientale (Peco). Notons aussi l'immigration juive de l'ex-Union soviétique : le but est de renforcer et de maintenir la communauté juive en Allemagne. Les personnes bénéficient d'un permis de séjour illimité, avec droit d'accès au marché du travail et à l'aide sociale, ainsi qu'aux programmes d'intégration.

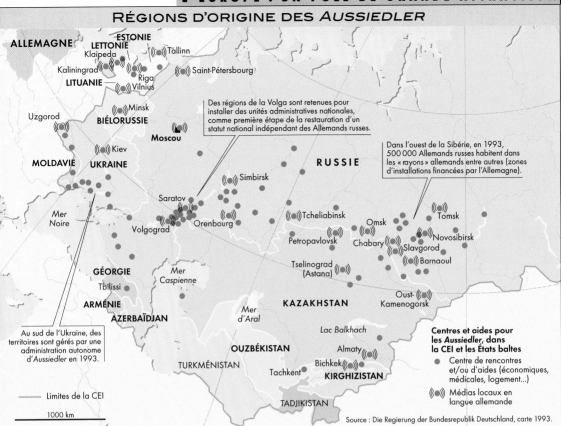

RÉGIONS D'ORIGINE DES *AUSSIEDLER*

ALLEMAGNE
ESTONIE
LETTONIE
Klaipeda — Tallinn
Kaliningrad — Saint-Pétersbourg
Riga
LITUANIE — Vilnius
Uzgorod — Minsk
BIÉLORUSSIE
Moscou
Kiev
MOLDAVIE   UKRAINE
RUSSIE
Simbirsk
Saratov
Mer Noire
Volgograd — Orenbourg
Tcheliabinsk
Omsk   Tomsk
Petropavlovsk   Novosibirsk
Chabary   Slavgorod
Tselinograd (Astana)   Barnaoul
GÉORGIE   Mer Caspienne
Tbilissi   Oust-Kamenogorsk
ARMÉNIE
AZERBAÏDJAN   Mer d'Aral
KAZAKHSTAN
Lac Balkhach
OUZBÉKISTAN   Almaty
Bichkek
TURKMÉNISTAN   Tachkent   KIRGHIZISTAN
TADJIKISTAN

Des régions de la Volga sont retenues pour installer des unités administratives nationales, comme première étape de la restauration d'un statut national indépendant des Allemands russes.

Dans l'ouest de la Sibérie, en 1993, 500 000 Allemands russes habitent dans les « rayons » allemands entre autres (zones d'installations financées par l'Allemagne).

Au sud de l'Ukraine, des territoires sont gérés par une administration autonome d'*Aussiedler* en 1993.

Centres et aides pour les *Aussiedler*, dans la CEI et les États baltes
- Centre de rencontres et/ou d'aides (économiques, médicales, logement...)
- Médias locaux en langue allemande

— Limites de la CEI
1000 km

Source : Die Regierung der Bundesrepublik Deutschland, carte 1993.

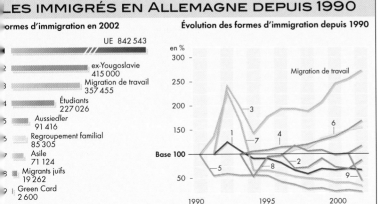

Les migrations ethniques

Suite à la Deuxième Guerre mondiale et aux accords de Yalta et Potsdam en 1945, 12 millions d'Allemands provenant d'anciens territoires allemands devenus polonais et soviétique sont rentrés en Allemagne. Jusqu'en 1990, l'acquisition de la nationalité allemande était définie dans l'article 116 du Grundgesetz (loi sur la nationalité), stipulant que les personnes de citoyenneté allemande d'avant 1945 ainsi que les *Aussiedler*, réfugiés ou expulsés en Allemagne, possédaient de droit la nationalité allemande.

LES *AUSSIEDLER*. Par ailleurs, 1,4 million d'*Aussiedler* (« Allemands ethniques » installés à l'est de la ligne Oder-Neisse) ont immigré en l'Allemagne entre 1950 et 1988, soit une moyenne de 38 000 par an. Entre 1988 et 1997, ce chiffre est monté à 220 000 par an, soit un total de 2 200 000. Depuis la chute du mur, l'accès à la nationalité allemande par les *Aussiedler* originaires du territoire de la CEI est limité. Les *Aussiedler* des pays d'Europe centrale et orientale (Peco), s'ils sont nés après le 31 décembre 1923, doivent prouver leur appartenance ethnique allemande. À partir de 2005, le test du dialecte allemand appris en famille devient obligatoire pour tous les membres d'une famille. À partir de 2010, les *Aussiedler* nés après 1992 n'auront plus le droit à ce statut particulier. En 2000, le contingent annuel autorisé a été abaissé de 220 000 à 100 000 *Aussiedler* par an.

LES IMMIGRÉS EN ALLEMAGNE DEPUIS 1990

Formes d'immigration en 2002

1. UE 842 543
2. ex-Yougoslavie 415 000
3. Migration de travail 357 455
4. Étudiants 227 026
5. Aussiedler 91 416
6. Regroupement familial 85 305
7. Asile 71 124
8. Migrants juifs 19 262
9. Green Card 2 600

Évolution des formes d'immigration depuis 1990

en %
300 –
250 –   Migration de travail
200 –
150 –
Base 100
50 –

1990   1995   2000

La France a été, depuis le milieu du XIXᵉ siècle, le plus grand pays d'immigration européen. Mais le phénomène est mal accepté à la fois par les décideurs et par l'opinion publique, qui hésitent entre ouverture et fermeture des frontières. A-t-on affaire à une absence de politique doublée d'une tentative de dépolitisation de la question, avec navigation à vue au gré de la conjoncture économique ? À une souplesse tactique dans l'organisation du marché du travail ? À un « archaïsme fatal », accusant le retard entre un appareil institutionnel rigide et la réalité évolutive des nouvelles mobilités.

La France, deuxième pays européen d'immigration

ÉTRANGERS ET IMMIGRÉS. Avec 3,2 millions d'étrangers et environ 4 millions d'immigrés (nés à l'étranger, ayant ou non la nationalité française), soit 7 % de la population totale, la France est le deuxième pays d'immigration en Europe de l'Ouest, après l'Allemagne. C'est le premier pays pour le nombre de ressortissants de culture musulmane (environ 4 millions). Les recensements distinguent aujourd'hui les étrangers (les non-nationaux) des

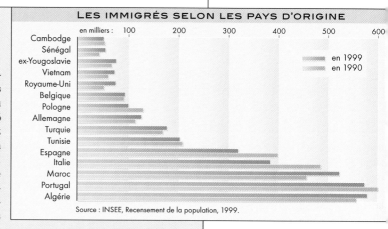

LES IMMIGRÉS SELON LES PAYS D'ORIGINE

en milliers : 100   200   300   400   500   600

en 1999
en 1990

Cambodge
Sénégal
ex-Yougoslavie
Vietnam
Royaume-Uni
Belgique
Pologne
Allemagne
Turquie
Tunisie
Espagne
Italie
Maroc
Portugal
Algérie

Source : INSEE, Recensement de la population, 1999.

immigrés (ceux qui, nés à l'étranger, ont effectué un parcours migratoire, qu'ils soient étrangers ou de nationalité française) et ne comptabilisent ni l'appartenance religieuse, ni l'origine.

MAGHRÉBINS ET PORTUGAIS. La population étrangère et issue de l'immigration est dominée en France par les Maghrébins : on comptait 477 000 Algériens, 504 000 Marocains et 154 000 Tunisiens au recensement de 1999. S'ajoutent les générations issues de l'immigration et un demi-million de harkis (engagés auprès des Français lors de la guerre d'Algérie) et d'enfants de harkis. Mais la nationalité la plus nombreuse est celle des Portugais (553 000 individus, 17 % des étrangers).

LE PROFIL DES NOUVEAUX ENTRANTS. Les flux d'immigration familiale demeurent les plus importants (la moitié des entrées annuelles). Mais il faut aussi inclure les demandeurs d'asile pour lesquels la France est devenue l'un des premiers pays d'accueil européen avec le Royaume-Uni et l'Allemagne (47 000 demandes en 2002 ; 55 000 en 2003), les étudiants (qui, depuis janvier 2000, sont autorisés à s'établir en France s'ils trouvent du travail après leurs études) et les migrants en situation irrégulière. Le profil de ces migrants s'est beaucoup transformé au cours des vingt dernières années : au travailleur étranger a succédé le nouveau citoyen, de nationalité française, mais souvent aussi binational d'origine urbaine. Cette population s'est fortement féminisée ; elle vieillit aussi, comme le montre la présence d'immigrés âgés dans les foyers de travailleurs ; enfin elle est fortement mondialisée avec de nouveaux venus originaires d'Inde, du Pakistan, du Sri-Lanka, qualifiés ou non qualifiés. Si l'emploi des étrangers (1,6 million d'actifs) est encore largement ouvrier (à 46,9 %) et plus vulnérable au chômage (18 % de chômeurs parmi les étrangers), il se tertiarise rapidement.

"

L'étranger, c'est celui qui se trouve en dehors du groupe dans lequel s'insère celui qui utilise le terme.

PIERRE GOUBERT, IN LA MOSAÏQUE FRANCE, ED. LAROUSSE, 1988.

"

RANTS

Le sans-papiers de l'an 2000

Le sans-papiers de l'an 2000 se confond souvent avec le demandeur d'asile débouté. Avec lui il partage sa condition de « sans » : sans patrie car il fuit la terreur, la guerre civile ou la pauvreté ; sans logis, faute de pouvoir fournir les gages nécessaires aux loueurs potentiels ; sans travail déclaré, faute de papiers ; et surtout sans statut, il est entre parenthèses vis-à-vis du travail, des prestations sociales (sauf cas d'extrême urgence), de l'accès de fait à l'école pour les enfants, assigné à résidence et interdit de circulation.

PROFIL. Malgré la diversité des situations, on peut établir une typologie des sans-papiers : les « ni... ni », ni régularisables, ni expulsables, déboutés du droit d'asile, parent d'enfants français ou fruits de situations kafkaïennes provenant des méandres de l'application des textes ; les voyageurs et migrants pendulaires, installés dans la mobilité, qui préfigurent la liberté de circulation dont ils ne bénéficient pas encore et gardent une activité chez eux en effectuant une activité ponctuelle ici ; les travailleurs de l'ombre, produits des réseaux et filières, qui font partie de ce que l'on appelle l'esclavage moderne.

LES « NI... NI » : SANS-PAPIERS MAIS NULLEMENT CLANDESTINS. Beaucoup d'entre eux sont entrés légalement comme touristes ou comme demandeurs d'asile sur le territoire français et ont prolongé leur séjour suite à une situation familiale nouvelle ou dans l'attente d'un statut de réfugié. Ce sont les sans-papiers proprement dits qui se sont souvent fait connaître de l'administration parce qu'ils ont suivi la procédure de régularisation de la circulaire de juin 1997, mais leur démarche a échoué car ils ne remplissaient pas les critères requis. Vulnérables administrativement, puisqu'ils sont en infraction selon l'ordonnance de 1945, ils sont la proie des employeurs « au noir » – qui s'exposent eux-mêmes à des sanctions pénales.

LES DIFFICULTÉS DE L'EXPULSION. Mais ils demeurent sur le territoire parce que la législation sur le séjour irrégulier n'est que partiellement appliquée pour de multiples raisons : raisons humanitaires, pour ceux qui risquent la prison ou la mort en retournant dans leur pays ; raisons politiques ou diplomatiques, quand il s'agit de pays avec lesquels le pays d'accueil souhaite conserver des relations de bon voisinage (l'Algérie, par exemple) ; raisons économiques aussi, car les reconductions à la frontière coûtent cher. En France, les reconductions et expulsions se chiffrent à 30 000 en 2003, mais les bavures survenues suite aux refus d'embarquer et les atteintes aux droits de l'homme qui en résultent ont donné une mauvaise image. Aux 60 000 sans-papiers rejetés de l'opération de régularisation de 1997-1998, qui attendent encore un titre de séjour, s'ajoutent chaque année des déboutés du droit d'asile (moins de 20 % des demandeurs en première et en deuxième instance obtiennent le statut de réfugié), des laissés-pour-compte de la procédure de regroupement familial, des étudiants ou conjoints qui se sont installés, parfois après la naissance d'enfants français ou destinés à le devenir.

LE CONTRÔLE DES FRONTIÈRES

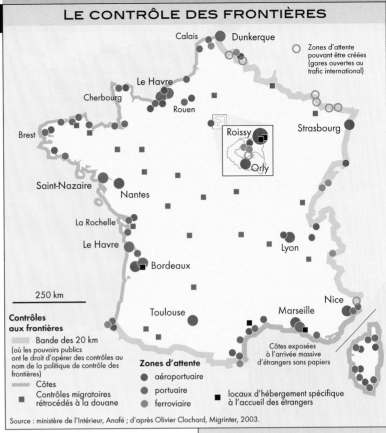

Contrôles aux frontières

- ▦ Bande des 20 km (où les pouvoirs publics ont le droit d'opérer des contrôles au nom de la politique de contrôle des frontières)
- ▬ Côtes
- ▪ Contrôles migratoires rétrocédés à la douane

○ Zones d'attente pouvant être créées (gares ouvertes au trafic international)

Zones d'attente
- ● aéroportuaire
- ● portuaire
- ● ferroviaire

Côtes exposées à l'arrivée massive d'étrangers sans papiers

■ locaux d'hébergement spécifique à l'accueil des étrangers

250 km

Source : ministère de l'Intérieur, Anafé ; d'après Olivier Clochard, Migrinter, 2003.

LES RÉGIONS D'ACCUEIL DES ÉTRANGERS EN FRANCE

Part des immigrés dans la population départementale en 1999
- ▢ moins de 4 %
- ▢ de 4 à 6 %
- ▢ de 6 à 8 %
- ▢ de 8 à 10 %
- ▢ plus de 10 %

▬ Limite de région

250 km

Source : INSEE, Recensement de la population, 1999.

La France est, par son histoire, un pays multiculturel. Mais l'expression des groupes constitués, des provinces, des régions a longtemps eu mauvaise presse car elle était associée à l'Ancien Régime, aux idées traditionalistes ou à Vichy. À partir de 1968, l'expression des identités régionales et des différences change de camp et le jacobinisme républicain doit désormais négocier le contenu de la citoyenneté en faisant une place aux identités collectives, aux communautés et aux cultures régionales et issues de l'immigration.

Une politique indéterminée

La France a toujours accueilli les immigrés un peu malgré elle, en hésitant entre l'ouverture et la fermeture de ses frontières. Les arguments démographiques, économiques, politiques et militaires se sont entrecroisés. Cette indétermination s'est traduite par des périodes de liberté totale ou tolérée (avant 1914 et durant les années 1960-1970) alternant avec des phases de contrôle accru des frontières (1932, depuis 1974 et depuis 1990). Alternance qui n'a d'ailleurs pas toujours été en phase avec le contexte économique mais plutôt avec les réactions réelles ou supposées de l'opinion publique. La meilleure illustration de ces phénomènes de non décision est la question des sans-papiers.

LES QUALIFICATIONS PROFESSIONNELLES DES IMMIGRÉS

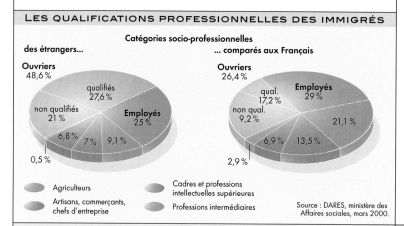

Catégories socio-professionnelles

des étrangers...

... comparés aux Français

Ouvriers 48,6 %
qualifiés 27,6 %
non qualifiés 21 %
Employés 25 %
6,8 % 7 % 9,1 %
0,5 %

Ouvriers 26,4 %
qual. 17,2 %
non qual. 9,2 %
Employés 29 %
21,1 %
6,9 % 13,5 %
2,9 %

Agriculteurs

Artisans, commerçants, chefs d'entreprise

Cadres et professions intellectuelles supérieures

Professions intermédiaires

Source : DARES, ministère des Affaires sociales, mars 2000.

Les politiques publiques d'intégration

DE L'« ASSIMILATION » AU « VIVRE ENSEMBLE ». Confrontée plus tôt que les autres pays européens aux flux migratoires, c'est-à-dire depuis le milieu du XIXᵉ siècle, la France a dû définir assez vite une politique d'intégration. On a parlé d'abord d'« assimilation », dès la fin du XIXᵉ siècle jusqu'au milieu du XXᵉ : il s'agissait, pour l'immigré, de se fondre dans la population française en abandonnant ses spécificités et sa langue ou en les reléguant à la sphère privée. Le terme d'« intégration », plus récent, a été introduit quand la France, en 1974, a décidé de suspendre les flux migratoires de main-d'œuvre salariée et de se pencher sur les conditions de sédentarisation de ceux qui restaient. Emprunté au vocabulaire colonial en Algérie, il a parfois été remplacé par celui d'« insertion », qui limite l'intégration à un bagage minimal nécessaire pour travailler tout en gardant à l'esprit l'idée du retour au pays. On lui préfère souvent aujourd'hui celui de « vivre ensemble », plus adapté à la diversité des manières d'être.

LES DÉBATS POLITIQUES. Les instruments privilégiés de l'intégration en France sont au nombre de deux : une politique de la ville attachée au territoire, fondée sur des critères socio-économiques destinés à restaurer l'égalité des chances dans des quartiers ou des secteurs scolaires caractérisés par un cumul d'inégalités sociales et où la population immigrée est présente ; l'accès à la nationalité, grâce à un code faisant une large place au droit du sol et à la naturalisation. Cependant, le modèle français d'intégration, si toutefois il existe, ne manque pas d'ambiguïtés, notamment par rapport aux thèmes introduits par le débat européen sur le multiculturalisme et sur la lutte contre les discriminations, thèmes sur lesquels la France s'est engagée tardivement, protégée par les principes républicains de citoyenneté égalitaire, détaché d'un fondement culturel ou ethnique.

LA POPULATION MAGHRÉBIN

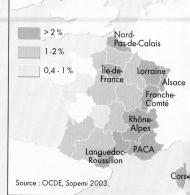

> 2 %

1 - 2 %

0,4 - 1 %

Nord-Pas-de-Calais

Île-de-France

Lorraine

Alsace

Franche-Comté

Rhône-Alpes

Languedoc-Roussillon

PACA

Cors

Source : OCDE, Sopemi 2003.

> **"**
>
> *Il y a autant d'injustice dans le traitement inégal de cas égaux que dans le traitement égal de cas inégaux.*
>
> ARISTOTE, *ÉTHIQUE À NICOMAQUE*, LIVRE V, CHAP. III.
>
> **"**

MMIGRÉS

Une citoyenneté évolutive, dissociée de la nationalité

L'ACCÈS À LA NATIONALITÉ. Marquée par le droit du sol qui prévalait sous l'Ancien Régime, hérité du servage, la France est passée, sous Napoléon Ier, au droit du sang, inscrit dans le Code civil. Mais, manquant plus tôt que ses voisins de bras et de soldats du fait d'un déclin démographique plus précoce, amorcé dès la fin du XVIIIe siècle, le pays a dû «faire des Français avec des étrangers» grâce à un accès plus ouvert à la nationalité française, entamé notamment avec la loi de 1889 et poursuivi dans les lois successives de 1927, de 1945 et de 1973. On est finalement revenu au *statu quo* d'un équilibre entre droit du sol et droit du sang dans la loi de 1998 (loi Guigou), qui modifiait celle, plus restrictive de 1993 (loi Pasqua-Méhaignerie).

Avec une moyenne d'un peu plus de 100 000 nouveaux Français chaque année (par acquisition automatique de la nationalité française pour les jeunes nés en France de parents étrangers, par naturalisation, par mariage et par réintégration dans la nationalité française), la France, qui compte un nombre analogue de nouveaux entrants, connaît un chiffre stable d'étrangers depuis plus de dix ans.

LE DROITE DE VOTE POUR TOUS LES ÉTRANGERS. C'est un long débat depuis plus de vingt ans dont l'issue n'a toujours pas vu le jour malgré les promesses tenues. Chez les générations issues de l'immigration, malgré un bouillonnement associatif assez intense, le nombre d'élus issus de l'immigration maghrébine, reste faible : absents au Parlement français, ils ne sont qu'une poignée au Parlement européen. On ne peut pas considérer qu'il se dessine un vote ethnique ni un vote arabe ou un vote musulman en France.

UNE VOLONTÉ COMMUNE DE VIVRE ENSEMBLE. Aujourd'hui, l'intégration se joue davantage dans le compromis entre famille, racines, environnement, modernité que dans une opposition trop tranchée entre la culture du pays d'origine et celle du pays d'accueil. Tout est dans la négociation des identités, dans une série de concessions quotidiennes qui tissent les fils de l'intégration. Mais il s'agit d'un processus long, qui ne peut être univoque car il nécessite de part et d'autre une volonté commune de vivre ensemble, un contrat social revisité, en quelque sorte.

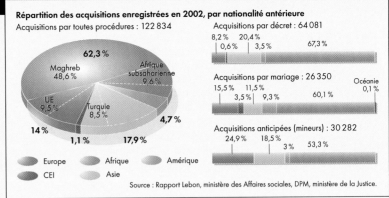

Répartition des acquisitions enregistrées en 2002, par nationalité antérieure

Acquisitions par toutes procédures : 122 834

62,3 % — Maghreb 48,6 %
Afrique subsaharienne 9,6 %
UE 9,5 %
Turquie 8,5 %
14 %
1,1 %
17,9 %
4,7 %

Acquisitions par décret : 64 081
8,2 % | 20,4 % | 0,6 % | 3,5 % | 67,3 %

Acquisitions par mariage : 26 350
15,5 % | 11,5 % | 3,5 % | 9,3 % | 60,1 %
Océanie 0,1 %

Acquisitions anticipées (mineurs) : 30 282
24,9 % | 18,5 % | 3 % | 53,3 %

- Europe
- CEI
- Afrique
- Asie
- Amérique

Source : Rapport Lebon, ministère des Affaires sociales, DPM, ministère de la Justice.

L'intégration : une politique des territoires

En France, la politique de la ville comme instrument privilégié de la politique d'intégration est à l'origine d'une gestion territorialisée, mise en place à partir de 1990 sur des critères de zonage géographique et socio-économique mêlant exclusion et présence étrangère forte. L'impulsion donnée à la vie associative grâce à la liberté d'association des étrangers accordée en 1981 (entrée dans le droit commun de la loi de 1901) a contribué à doter les quartiers défavorisés d'une animation civique et culturelle financée par le Fonds d'action sociale d'où ont émergé des élites et des médiateurs culturels. La politique de la ville, née des initiatives prises pour développer la prévention dans les quartiers difficiles, s'appuie sur la collaboration avec les associations civiques qui, au tournant des années 1990, se sont recentrées dans le social. Mais les violences urbaines, les discriminations, la ghettoïsation, l'islamisation, le chômage endémique constituent l'envers du décor des territoires d'exclusion.

Être beur

« Être beur, c'est quoi ça ? J'ai l'impression quelque part d'être un extraterrestre », dit un interviewé dans une enquête menée en 1996 sur le mouvement associatif civique issu de l'immigration (« La beurgeoisie »). Être beur, c'est être jeune, métissé, avoir un look banlieues et à la mode (le sport, le rock, les fringues de marque). C'est aussi un langage, le verlan, des romans ... beurs, des films qui mettent en scène la saga des banlieues, les crises d'identité, les mobilisations collectives, l'ambiguïté des appartenances, les conflits intergénérationnels. C'est aussi une inscription dans le paysage associatif civique et l'espoir d'un passage au politique.

Le « beur » dans la vie publique, c'est l'homme (ou la femme) pont, le médiateur (réel ou supposé) par excellence, le bricoleur d'identités qui joue sur plusieurs registres, la base et les élites, ici et là-bas, l'islam et la république, l'individualisme et le communautarisme.

La migration vers le Royaume-Uni s'est développée après l'accès des colonies britanniques à l'indépendance et l'essentiel des migrants a d'abord été constitué des ressortissants du Commonwealth. Avec 2,4 millions d'étrangers, 4,5 % de la population totale, le Royaume-Uni est le troisième pays d'immigration en Europe. Sa présence immigrée est pour moitié anglophone (Irlande (16,8 %) 411 000, Inde 148 000, États-Unis 109 000, Pakistan 99 000, Afrique du Sud, Bangladesh, Sri-Lanka, Jamaïque) et la présence européenne est forte (46 %) parmi les non-membres du Commonwealth (949 000). Le Royaume-Uni est devenu ces cinq dernières années le premier pays d'accueil de demandeurs d'asile en Europe (84 100 en 2002), avec un afflux d'Afghans du fait des relations que ceux-ci entretiennent avec la population pakistanaise déjà installée.

RÉPARTITION ETHNIQUE DE LA POPULATION

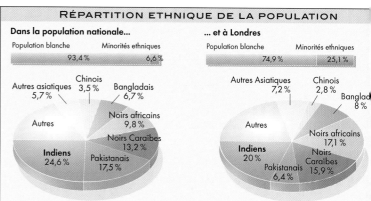

Source : Labour Force Survey, Office for National Statistics, 2001 (chiffres 1999-2000).

ACQUISITION DE LA NATIONALITÉ

Évolution du nombre et des types d'acquisition de la nationalité
(milliers de personnes, 1993-2003)

Acquisition de la nationalité en 2003, selon la région d'origine

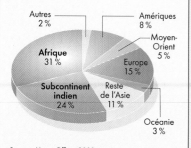

Source : Home Office, 2003.

Un processus d'intégration qui fait une large place au multiculturalisme

À la différence de la France, la politique d'intégration repose largement sur les réseaux sociaux des migrants, d'où l'image communautariste que le modèle britannique donne parfois à ses voisins européens.

LA CITOYENNETÉ BRITANNIQUE. Au cours des années 1950, les populations du nouveau Commonwealth (Inde, Pakistan, Caraïbes, Afrique) perdent la citoyenneté britannique et des contrôles aux frontières sont établis dès 1962. Une hiérarchie d'appartenance se définit progressivement entre les *British citizens* et les autres catégories de ressortissants du Commonwealth, qui coïncident souvent avec la couleur de la peau. Le droit du sol, traditionnellement attaché à la dévolution de la nationalité au Royaume-Uni, se rétrécit et des éléments du droit du sang sont introduits en fonction du statut du territoire où l'on est né, pour les ex-ressortissants coloniaux. La nouvelle législation (*Nationality, Immigration and Asylum Act*) de 2002 requiert des postulants une connaissance de l'anglais, de la société britannique et introduit une cérémonie pour l'accès à la citoyenneté.

LE MODÈLE COMMUNAUTAIRE. Ce phénomène est accentué par une vision identitaire et collective de la distribution des populations où les réseaux ethniques, culturels et religieux jouent un grand rôle et où le multiculturalisme a été affirmé plus tôt qu'ailleurs. Le Royaume-Uni est engagé depuis plus longtemps que ses voisins européens dans une politique de lutte contre les discriminations raciales qui tente d'atténuer les processus de ségrégation et de «suburbanisation racialisée» des grandes villes (Londres, Birmingham, Manchester, Midlands). Un partenariat existe aujourd'hui entre politique publique et réseaux communautaires pour favoriser l'intégration.

ADO

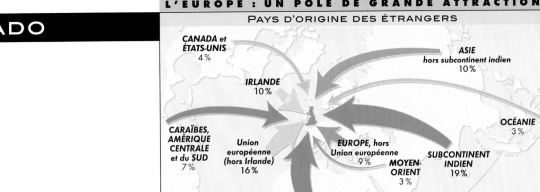

PAYS D'ORIGINE DES ÉTRANGERS

CANADA et
ÉTATS-UNIS
4 %

ASIE
hors subcontinent indien
10 %

IRLANDE
10 %

OCÉANIE
3 %

CARAÏBES,
AMÉRIQUE
CENTRALE
et du SUD
7 %

Union
européenne
(hors Irlande)
16 %

EUROPE, hors
Union européenne
9 %

MOYEN-
ORIENT
3 %

SUBCONTINENT
INDIEN
19 %

AFRIQUE
19 %

Sangatte, différend franco-britannique et symbole de la misère du monde

Une fixation du débat s'est effectuée surtout autour du centre de Sangatte, ouvert par la Croix-Rouge en 1999 dans un village français proche de Calais et de l'euro-tunnel, pour secourir les demandeurs d'asile qui cherchaient à rejoindre le Royaume-Uni devenu la première destination de l'asile en Europe. Les Britanniques ayant considéré que ce centre était une incitation à la traversée clandestine de la Manche, Sangatte a été fermé en décembre 2002. Le Royaume-Uni a dû accepter en contrepartie d'accueillir 1 200 Kurdes.

UN SYMBOLE. Sangatte était devenu un symbole de mondialisation des flux migratoires. En trois ans, plus de 50 000 personnes sont passées par le centre. Diplômés, pour la plupart anglophones, ils considéraient le Royaume-Uni comme le but ultime (et le rêve) de leur voyage. Dans leur immense majorité, les candidats au passage ont atteint l'autre rive de la Manche, au prix de morts et d'accidents corporels. Sangatte était connu des pays d'origine des migrants. Il a aussi été utilisé comme une plaque tournante de l'immigration clandestine.

Répartition des citoyens britanniques d'origine étrangère
% par région, en 2002

OCÉANIE Région d'origine
3 % Importance relative

Taux d'accès à la citoyenneté
Part des immigrants accédant à la citoyenneté britannique, après 6 ans ou plus de résidence au Royaume-Uni

20 à 50 %

50 à 60 %

60 à 70 %

plus de 70 %

Sources : Home Office, 2003.

Une immigration de quotas

Un programme pour les migrants très qualifiés a été introduit en 2001 pour attirer les talents et une politique de quotas a été mise en œuvre pour les travaux peu qualifiés (saisonniers dans l'agriculture notamment), tandis que la nouvelle politique (*Nationality, Immigration and Asylum Act*) est entrée en vigueur en 2002 pour lutter contre l'immigration clandestine et le trafic de main-d'œuvre.

Un programme d'immigration de travail temporaire de vacances dans le secteur des services, de la santé, de la restauration est aussi entré en vigueur depuis 2003 (10 000 permis de travail).

Contrairement à son annonce initiale, le Royaume-Uni a décidé de ne pas appliquer la libre entrée des travailleurs de l'Europe de l'Est et de soumettre leur entrée à une période d'attente, comme ses voisins européens.

> "
> *Ce qui a créé Sangatte, ce n'est pas une ouverture croissante de l'Angleterre, c'est tout au contraire la fermeture de l'Angleterre aux réfugiés.*
> "
>
> VIOLAINE CARRÈRE, PRÉSIDENTE DU GISTI, IN *PROJET*, N° 272, DÉC. 2002.

RÉPARTITION DES MINORITÉS AU ROYAUME-UNI

Indiens
Pakistanais
Bangladais
Noirs Caraïbes
Noirs africains
Asiatiques

100 km

Newcastle
Middlesborough
Greater Manchester Oldham/Lancashire
Leeds/W
Liverpool
Scunthorpe
Leicester
Birmingham/W Midlands
Peterborough
Luton
Cardiff
Slough
Londres

Londres
Nord
Centre
Ouest
Est/Tower Hamlet Bangladais environ 25 %
Sud

Source : Foreign & Commonwealth Office, 2001.

L'Italie, l'Espagne, le Portugal et la Grèce sont parfois définis comme constitutifs d'un « modèle méditerranéen de migration » : ils sont un pont entre le Nord et le Sud et parfois entre l'Est et l'Ouest ; la croissance de leur population est négative ; ils ont encore une communauté de compatriotes émigrés à l'étranger ; le chômage y est plus élevé que la moyenne en Europe ; la demande de travail immigré y est très forte, notamment dans les services domestiques, l'agriculture saisonnière, le tourisme ; le trafic de main-d'œuvre et de passages clandestins est à leurs portes, ce qui contribue au développement de l'immigration et du travail clandestin et explique le recours fréquent à des régularisations ; l'opinion publique est encore peu acquise à l'idée d'une immigration de longue durée, partie prenante de leurs sociétés ; ils sont devenus des pays d'immigration depuis le milieu des années 1980 après une longue tradition d'émigration.

Nombre d'étrangers et part dans la population totale, en 2003

POLOGNE
UKRAINE
ROUMANIE
BULGARIE

PORTUGAL
405 000
3,4 %

ESPAGNE
1 370 651
3,3 %

ITALIE
1 464 589
2,8 %

ALBANIE
TURQUIE

GRÈCE
761 138
6,9 %

MAROC
TUNISIE
Mer Méditerranée

Source : OCDE.

500 km

L'Italie : le plus grand nombre d'étrangers

1,4 million en 2003 (soit 2,8 % de la population). Le chiffre a doublé depuis 1991 (649 000) avec 14 % de ressortissants communautaires et 86 % de non-communautaires venant principalement du Maroc (158 000), d'Albanie (144 000), de Roumanie (70 000), des Philippines (64 000), de Chine (57 000), fruit de la mondialisation des flux migratoires. La plupart d'entre eux travaillent dans le nord du pays (365 000) et dans le centre (203 000), où Rome est devenu un pôle d'attraction important. Mais il faut aussi inclure une immigration clandestine (estimée à 2 500 000 personnes) constitutive, par les régularisations successives, de l'essentiel de l'immigration du pays. La dernière a procédé à la légalisation de près de 700 000 irréguliers, travaillant notamment dans les services domestiques et les soins aux personnes âgées (les *badanti*), compte tenu du vieillissement de la population.

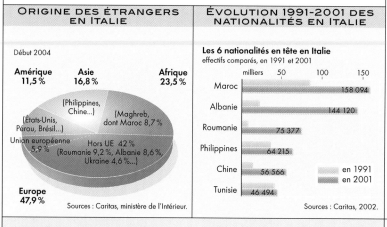

ORIGINE DES ÉTRANGERS EN ITALIE	ÉVOLUTION 1991-2001 DES NATIONALITÉS EN ITALIE

Début 2004

Amérique 11,5 %
Asie 16,8 %
Afrique 23,5 %

(Philippines, Chine...)
(États-Unis, Pérou, Brésil...)
(Maghreb, dont Maroc 8,7 %)

Union européenne 5,9 %
Hors UE 42 %
(Roumanie 9,2 %, Albanie 8,6 %, Ukraine 4,6 %...)

Europe 47,9 %

Sources : Caritas, ministère de l'Intérieur.

Les 6 nationalités en tête en Italie
effectifs comparés, en 1991 et 2001

milliers 50 100 150

Maroc	158 094
Albanie	144 120
Roumanie	75 377
Philippines	64 215
Chine	56 566
Tunisie	46 494

en 1991
en 2001

Sources : Caritas, 2002.

La loi Bossi-Fini de 2002

Année	Loi	Nombre de régularisés
1986	Loi de 943/86	120 000
1990	Loi de 39/90	215 000
1995	Décret-loi Dini	244 000
1998	Décret 16-10-98	217 000
2002	Loi 189/02	659 847

Cette loi lie le contrat de séjour à la possession d'un travail, garanti par l'employeur et limité à deux ans la première fois. Elle prévoit aussi des quotas pour l'entrée d'immigrés d'origine italienne (4 millions vivent à l'étranger, sans compter ceux qui ont acquis la nationalité des pays d'accueil). Mais les besoins de main-d'œuvre (estimés à 200 000) restent pressants et l'Italie peine à contrôler les frontières, au sud (îles siciliennes, Pouilles, Brindisi), l'une des portes d'entrée de l'Europe.

L'opinion publique est encore peu acquise à l'idée d'une immigration de longue durée, partie prenante de leurs sociétés.

MIGRATION À L'IMMIGRATION

Le Portugal : nouveau pays d'accueil

Plus encore que ses voisins, le Portugal est devenu tardivement un pays d'accueil (405 000 étrangers en 2003, 3,4 % de la population totale), avec une population européenne en diminution (les deux tiers dans les années 1960, un tiers aujourd'hui) au profit d'une immigration originaire de ses anciennes colonies, les Palop (pays de langue et d'origine portugaise : Angola, Mozambique, Cap-Vert, Macao, Brésil, Guinée-Bissau, São Tomé et Principe). Manquant chroniquement de main-d'œuvre, le Portugal a conclu des accords et a procédé à des régularisations successives : ses bénéficiaires en sont surtout des migrants originaires d'Europe orientale (Ukraine, Moldavie, Roumanie, Russie).

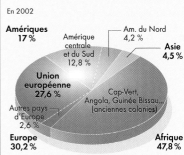

En 2002

Amériques **17 %**
Amérique centrale et du Sud **12,8 %**
Am. du Nord **4,2 %**
Asie **4,5 %**
Union européenne **27,6 %**
Cap-Vert, Angola, Guinée Bissau... (anciennes colonies)
Autres pays d'Europe **2,6 %**
Europe **30,2 %**
Afrique **47,8 %**

Source : Adri, Migrations Études, n° 116, 2003.

1998

Amériques
Chine **5 %**
Asie
Amérique du Sud **18 %** dont Pérou **7 %**
Philippines **4 %**
Union européenne **25 %**
Maghreb dont Maroc **37 %**
Europe **29 %**
Afrique **41 %**

Sources : ministère du Travail.

L'Espagne : un point d'entrée vers l'Europe

Avec 1,4 million d'étrangers en 2004, soit 3,3 % de la population totale, l'Espagne a connu une augmentation très rapide de son immigration (165 000 étrangers en 1975, essentiellement européens ; 722 000 en 1998). Celle-ci est concentrée dans quelques régions comme Madrid et ses environs, la Catalogne, l'Andalousie, la région de Valence, et comporte une part importante d'immigration irrégulière, régularisée périodiquement (la dernière régularisation date de 2004-2005). Malgré des tentatives de contrôle de l'immigration clandestine, Ceuta, Melilla (enclaves espagnoles au Maroc), les îles Canaries et le Maroc sont devenus d'importants points d'entrée pour l'immigration maghrébine, subsaharienne et asiatique, avec quelques phénomènes visibles comme les enfants des rues, les *pateras* (barques traversant le détroit de Gibraltar), et les réactions xénophobes de la population (comme le drame des émeutes racistes des serres d'El Ejido, en Andalousie en 2000 contre les travailleurs immigrés).

La Grèce : pays d'accueil, de départ et de transit

La Grèce ne possède aucune frontière commune avec l'Union européenne et maîtrise difficilement une immigration venue d'Albanie, de Bulgarie, de Roumanie et de l'ex-Yougoslavie. À la différence des autres pays de l'Europe du Sud, elle compte une importante population étrangère (près de 7 %), soit 762 000 étrangers en situation régulière en 2001 et un nombre important de clandestins – 400 000 d'entre eux ont été régularisés en 1998. Sa population immigrée a connu une croissance rapide (167 000 étrangers en 1991) et la Grèce a accueilli une immigration grecque de retour (150 000 depuis 1997) venue de Géorgie (52 %), du Kazakhstan (20 %), de Russie (15 %), d'Arménie et d'Ukraine.

Australie **1,2 %**
Asie **5 %**
Afrique **1 %**
Amérique du Nord **3,7 %**
Union européenne **3,2 %**
ex-Union soviétique **9,2 %**
Europe non communautaire **68,4 %**
(dont Albanie 55,7 %)
Europe **71,6 %**

Les 20 premières nationalités recensées en 2001

Source : ONSG, recensement 2001.

Tous ces pays ont signé des accords de réadmission avec leurs voisins, pour lutter contre l'immigration clandestine, souvent en échange d'accords bilatéraux de main-d'œuvre. Ils commencent à mettre en œuvre des politiques d'intégration, incluant souvent la réforme du droit de la nationalité (Espagne, loi de 2002, Portugal) et de la naturalisation (Grèce, 2001). Ils sont aussi confrontés à l'islam (Italie, Espagne notamment).

LES RÉGULARISATIONS

En Italie :
• 6 politiques de régularisations depuis 1986
• nombreux accords, sur les travailleurs saisonniers avec l'Albanie et la Tunisie.

En Espagne :
• 5 politiques de régularisations depuis 1986
• accords bilatéraux de main-d'œuvre avec accords de réadmission avec Colombie, Équateur, République dominicaine, Pologne, Roumanie.

Au Portugal :
• 3 politiques de régularisations depuis 1986
• accords sur les travailleurs temporaires avec Roumanie, Bulgarie, Ukraine, Russie.

En Grèce :
• 2 politiques de régularisations depuis 1986
• accords de réadmission avec la Turquie.

L'immigration est un enjeu majeur de l'Europe élargie. Cette nouvelle configuration est riche d'inconnues : sur l'évolution des flux une fois l'acquis Schengen mis en place par les nouveaux membres ; sur la capacité des nouveaux pays à mettre en œuvre des politiques communautaires d'immigration et d'asile ; enfin, sur le devenir des migrations pendulaires Est-Ouest, cette nouvelle forme de migration, qui installe les migrants dans la mobilité comme mode de vie et qui a caractérisé, pendant plus d'une décennie les pays d'Europe centrale et orientale (Peco).

Des pays charnières

LA DÉFERLANTE N'A PAS EU LIEU. Pays d'accueil et de départ, ils attirent surtout, pour l'instant, une migration de transit vers l'Europe de l'Ouest, tout en accueillant eux-mêmes une population venant d'Ukraine, de Pologne et de Roumanie. Contrairement à quelques idées reçues, la grande déferlante annoncée lors de la chute du rideau de fer ne s'est pas produite et il s'est agi surtout de migrations pendulaires de voisinage (partir pour mieux rester chez soi) et de migrations ethniques vers l'Allemagne (*Aussiedler*), la Finlande, la Turquie, la Hongrie, l'Allemagne constituant le premier pays d'accueil (1,5 million de migrants de l'Est résidents), suivie par l'Autriche (380 000), l'Italie (306 000) et la Grèce (131 600).

LA MIGRATION PENDULAIRE. Tous les migrants originaires des pays candidats ont bénéficié, depuis les accords de Visegrad de 1991, de la suppression des visas de court séjour (moins de trois mois) pour circuler en touristes dans l'Union européenne, les derniers en date étant les Bulgares, depuis le 31 décembre 2000 et les Roumains, depuis le

FILIÈRES DES MIGRATIONS DE L'EST

Pays de l'Union européenn en 2004

Pays candidats à l'adhésio à l'Union européenne en 2007

Source : OCDE, Sopemi 2003.

500 km

31 décembre 2001. Certains d'entre eux, comme les Polonais et les Roumains, dont les pays représentent avec l'Ukraine les deux plus grands réservoirs de main-d'œuvre pour la migration vers l'Ouest, ont préfiguré cette mobilité en s'installant dans une forme de coprésence, ici et là-bas : travailleurs saisonniers d'un jour, d'un mois ou de six mois dans l'agriculture, le ménage ou le bâtiment chez les Polonais à Berlin et ses environs (située à seulement 80 kilomètres de la frontière polonaise), travailleurs frontaliers slovaques à Vienne (à 60 kilomètres de la frontière), vendeurs « à la valise » sur les grands marchés de Berlin ou de Vienne dans les années qui ont suivi la chute du mur, paysans roumains en France et en Italie venus faire une saison en vendant des journaux de rue et en offrant des services domestiques, Rom à la recherche des miettes de la société de consommation... Certains d'entre eux en ont fait leur mode de vie, permettant à la famille restée sur place de mieux vivre ou construisant de riches maisons pour y accueillir des touristes.

> **"**
>
> *Plus on ferme les frontières, plus les migrants s'installent, plus on ouvre, plus ils circulent et moins ils se sédentarisent.*
>
> **"**

ENDULAIRE

es Peco

Depuis la chute du mur de Berlin, on appelle Peco les pays d'Europe centrale et orientale, autrefois appelés «pays de l'Est». Cet ensemble comprend la Roumanie, la Bulgarie, la Pologne, la Hongrie, la République chèque, la Slovaquie, l'Estonie, la Lettonie, la Lituanie, la Slovénie et la Moldavie.

La circulation des travailleurs

Depuis le 1er mai 2004, la libre circulation des travailleurs salariés prévue par les textes européens a été repoussée, par crainte de la concurrence. Les accords sur le libre accès au marché du travail dans l'Union européenne pour les ressortissants d'Europe centrale et orientale prévoient un temps d'attente fixé au maximum à sept ans. En revanche, les non-salariés jouissent d'une totale liberté de circulation et de travail.

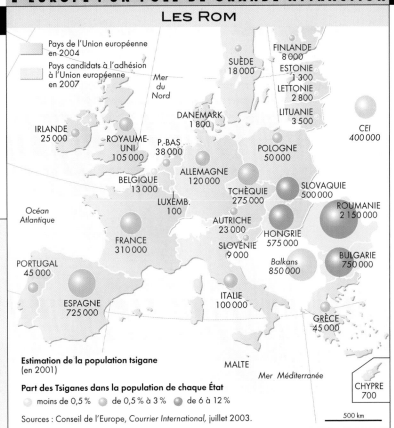

LES ROM

- Pays de l'Union européenne en 2004
- Pays candidats à l'adhésion à l'Union européenne en 2007

Mer du Nord

Océan Atlantique

IRLANDE 25 000
ROYAUME-UNI 105 000
P.-BAS 38 000
BELGIQUE 13 000
LUXEMB. 100
FRANCE 310 000
PORTUGAL 45 000
ESPAGNE 725 000

FINLANDE 8 000
SUÈDE 18 000
ESTONIE 1 300
LETTONIE 2 800
LITUANIE 3 500
DANEMARK 1 800
POLOGNE 50 000
ALLEMAGNE 120 000
TCHÈQUE 275 000
SLOVAQUIE 500 000
ROUMANIE 2 150 000
AUTRICHE 23 000
HONGRIE 575 000
SLOVÉNIE 9 000
Balkans 850 000
BULGARIE 750 000
ITALIE 100 000
GRÈCE 45 000
MALTE
CEI 400 000
CHYPRE 700

Mer Méditerranée

Estimation de la population tsigane (en 2001)

Part des Tsiganes dans la population de chaque État
- moins de 0,5 %
- de 0,5 % à 3 %
- de 6 à 12 %

Sources : Conseil de l'Europe, *Courrier International*, juillet 2003.

500 km

À l'est des Pays d'Europe centrale et orientale (Peco)

Au tournant des années 1990-2000, des migrants venus de plus à l'est, d'Ukraine notamment, sont allés travailler en Pologne, mais aussi en Italie et au Portugal, dans l'agriculture et le bâtiment. Des Moldaves venus en Roumanie mais aussi en Europe de l'Ouest, depuis les médecins jusqu'aux prostituées, des paysans roumains viennent repeupler des villages désertés dans le nord de l'Espagne. Des Bulgares vont travailler en Grèce, des Tchèques et des Slovaques, en Bavière. Une partie de ces flux s'effectue avec un visa de tourisme ou de façon irrégulière. En 2000, on estimait à près de 20 000 le nombre d'Ukrainiens qui traversaient quotidiennement la frontière pour commercer ou travailler plus à l'ouest.

REPOUSSER LES FRONTIÈRES. L'enclave de Kaliningrad, aujourd'hui lieu de transit et d'échanges, les routes par Moscou ou Kiev qu'empruntent les clandestins et demandeurs d'asile venus d'Asie ou du Moyen-Orient pour gagner l'Europe de l'Est, beaucoup des échanges informels qui parfois contribuent aussi à dynamiser les régions orientales des Peco sont remises en question par l'élargissement. Les pays de l'Union européenne ont signé de longue date avec les Peco des accords de réadmission pour se protéger de l'immigration clandestine. Or, les pays de l'Est multiplient ou rétablissent les visas avec leurs voisins de l'Est (comme la Pologne avec l'Ukraine en 2003) pour donner des gages de bonne conduite à l'Union européenne, tout en sachant que cela risque de créer une nouvelle ligne de fracture, comparable à celle qui existe entre la rive nord et la rive sud de la Méditerranée.

AUTOUR DES FRONTIÈRES : ÉCHANGE OU EXCLUSION ? On peut s'attendre de la même manière à voir disparaître l'intense zone de mobilité et d'échanges qui s'était créée entre la courte période de la chute du mur de Berlin et l'élargissement, voire à redoubler les trafics du fait d'une fermeture renforcée et voir s'aggraver les disparités entre les Peco et leurs voisins.

Les Rom : migration vers l'ouest

Au nombre de 8 à 12 millions en Europe, les Rom sont surtout présents en Europe centrale et orientale, notamment en Slovaquie (un demi-million pour 5 millions d'habitants), en Roumanie (2 millions, le plus grand réservoir dans le monde), en Hongrie, en Bulgarie et aussi en Espagne. D'origine indienne (d'après les racines linguistiques communes qui ont été établies), ils ont quitté la région il y a plus de mille ans, passant à travers la Perse. Pendant plusieurs siècles, ils ont vécu dans l'Empire byzantin et sont allés vers le nord vers 1300 (Europe centrale et orientale, Allemagne, France, Italie, Espagne et Portugal au XIVe siècle). Au XVe siècle, ils ont gagné l'Angleterre ; au XVIIe siècle, le Portugal les a déportés vers ses colonies africaines et vers le Brésil. Au XIXe siècle, une grande migration commencée à la fin du XVIIIe se poursuit en Europe de l'Est et vers les États-Unis, où une partie d'entre eux est devenue sédentaire.

LE MONDE RUSSE

La chute du rideau de fer et l'éclatement de l'URSS ont donné lieu, depuis 1989, à un processus migratoire au long cours qui ne fait que commencer. À la migration de dissidence succède une multiplicité de formes de mobilités vers l'intérieur et vers l'extérieur de la Russie et de ses voisins. Les frontières s'ouvrent mais l'émigration n'est pas massive. Elle obéit plutôt à des logiques ethniques, diasporiques, de voisinage et de retour. Cette émigration sert à la fois l'image d'un pays longtemps condamné pour son non-respect des droits de l'homme du fait de sa fermeture et nourrit le fantasme d'une déferlante humaine qui nécessiterait une aide économique accrue. Elle contribue à intégrer la Russie au monde occidental. Mais, alors que la Russie a besoin d'un apport de population compte tenu de son vieillissement démographique, elle a du mal à s'accepter comme pays d'immigration.

MIGRATIONS INTÉRIEURES DE LA CEI

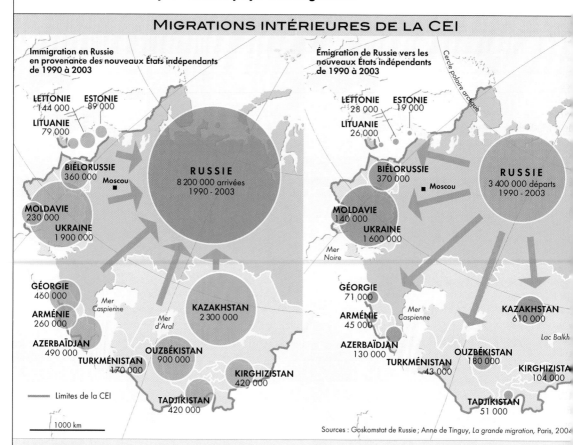

Sources : Goskomstat de Russie ; Anne de Tinguy, *La grande migration*, Paris, 2004.

Une émigration aux formes diversifiées

La dislocation de l'empire a donné lieu à des formes de mobilités hétérogènes des Russes et de ceux que l'on qualifie comme tels (Ukrainiens et autres ressortissants de la Russie d'Europe).

UNE MIGRATION PENDULAIRE. Des « hommes navette », souvent qualifiés, qui ont troqué provisoirement leur travail non payé par un commerce de valise en Pologne (250 000 « Russes » estimés en 1990), en République tchèque, en Hongrie, en Chine et en Turquie, une destination très prisée des *tchelnoki* (commerçants à la valise) et des travailleurs saisonniers en Allemagne.

UNE MIGRATION ETHNIQUE. Le mouvement le plus connu est celui des *Aussiedler* en Allemagne (quelque 2 millions de personnes depuis 1989, qualifiées de Russes en Allemagne et d'Allemands en Russie, voir p. 26-27), suivi de celui des juifs d'origine russe vers Israël (1,4 million de Russes et d'Ukrainiens entre 1990 et 2000, soit 14,4 % de la population israélienne), eux aussi juifs en Russie, Russes en Israël. Autre migration ethnique : celle du retour des déportés de la période tsariste ou stalinienne, devenus européens à la faveur de l'entrée dans l'Union européenne de leurs anciens pays d'origine : Grecs, Polonais, Finnois, des rapatriés

MIGRATIONS EXTERNES À LA CEI

Émigrés de l'ex-URSS vers les pays n'appartenant pas à l'ex-URSS, 1989-2003

- États-Unis 16,9 %
- Israël 24,3 %
- Allemagne 58,8 %

1 873 000 personnes, 94 % des émigrés

Source : statistiques nationales des trois pays concernés.

Une migration de voisinage

Les Chinois (500 000 en 1998) émigrent en Russie de manière temporaire et pendulaire. Souvent clandestins (600 000 entre 1992 et 2000), ils travaillent dans le bâtiment, l'agriculture, le forestage, l'industrie légère, le commerce ambulant, la pêche, la sous-traitance. Une nécessité mal vécue dans un face-à-face démographique et territorial inversé entre la Russie et la Chine, où des territoires immenses et peu peuplés font face à un pays surpeuplé.

Ceux qui « rentrent »

LE RETOUR DES RUSSES DANS LEUR ANCIEN EMPIRE. On estime à quelque 25 millions les « pieds rouges », des Russes qui ont rejoint la Russie et l'Ukraine après que les régions où ils se trouvaient sont devenues des États indépendants pratiquant une politique nationaliste, ethnique et linguistique (et parfois aussi religieuse) qui exclut désormais les anciens colons russes. Ce mouvement de décolonisation et le retour des Russes en Russie a concerné 10 millions de personnes entre 1989 et 2002, obéissant à une logique de désenchevêtrement des peuples, notamment au Kazakhstan (2,2 millions de départs de Russes entre 1990 et 2002). Ces minorités, hier privilégiées, devenues minorités ordinaires, ont parfois fait une demande d'asile et obtiennent automatiquement la nationalité russe si elles la désirent. Certains des nouveaux États procèdent à une sorte de nettoyage ethnique à l'égard des Russes dont la présence est parfois assimilée à une occupation.

> " Ce n'est pas nous qui avons abandonné la Russie, c'est la Russie qui nous a abandonnés.
>
> VALÉRI IOUCHINE, 16 SEPTEMBRE 2002, CITÉ PAR ANNE DE TINGUY, *LA GRANDE MIGRATION*, PARIS, PLON, 2004. "

DES COMMUNAUTÉS IMPORTANTES. En Estonie et en Lettonie, un habitant sur trois est russe. Dans les républiques musulmanes, on compte dix millions de Russes dans les cinq États. Ces Russes « ethniques » ne souhaitent pas s'assimiler. Ainsi, outre le Kazakhstan, qui a connu 2,2 millions de départs entre 1990 et 2003, l'Ouzbékistan en a eu 900 000, le Tadjikstan 420 000, le Kirghizstan 420 000 et le Turkménistan 172 000. Le recul démographique des Russes accélère la construction ethnique et linguistique de ces nations.

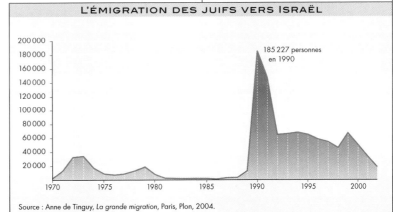

L'ÉMIGRATION DES JUIFS VERS ISRAËL

185 227 personnes en 1990

Source : Anne de Tinguy, *La grande migration*, Paris, Plon, 2004.

unis par des liens transnationaux et des réseaux transfrontaliers.

UNE MIGRATION D'INSTALLATION ET UNE MOBILITÉ DES CERVEAUX. Les États-Unis et le Canada ont connu, à la chute du mur de Berlin l'arrivée de Russes et d'Ukrainiens pour une installation durable (646 000 demandes de visas de la CEI entre 1989 et 2002), ainsi que des migrations temporaires de cerveaux et de talents.

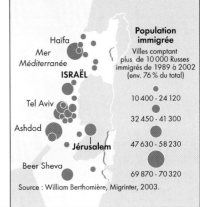

Population immigrée

Villes comptant plus de 10 000 Russes immigrés de 1989 à 2002 (env. 76 % du total)

- Haïfa
- Mer Méditerranée
- ISRAËL
- Tel Aviv
- Ashdod
- Jérusalem
- Beer Sheva

- 10 400 - 24 120
- 32 450 - 41 300
- 47 630 - 58 230
- 69 870 - 70 320

Source : William Berthomière, Migrinter, 2003.

LE DIALOGUE EUROMÉDITERRANÉEN

Passages clandestins, parfois suivis de morts à Gibraltar, au large des côtes siciliennes ou calabraises, trafics de main-d'œuvre et réseaux de passage d'est en ouest et du sud au nord, fracture économique, sociale, politique, culturelle et démographique. Depuis 1995, le processus de Barcelone inscrit la migration dans la problématique du codéveloppement. De son côté, le système des visas imposé depuis 1986 aux pays du Sud bloque la mobilité des échanges entre les populations des deux rives, tout en favorisant la sédentarisation aléatoire de ceux qui ont réussi à pénétrer en Europe.

Europe-Maghreb : une ligne de fracture Nord-Sud

Tandis que les pays de la rive nord ont vu leur population croître d'environ un tiers entre 1950 et 2000, passant de 158 millions à 212 millions, ceux de l'est et du sud ont connu un accroissement multiplié par trois, passant de 73 millions en 1950 à 244 millions en 2000, soit une évolution allant de 32 % à 53 %. Le taux d'accroissement naturel au sud (différence entre le taux de natalité et de mortalité) est de 1,5 % sur la rive nord durant les années 1990 contre 20,2% sur la rive sud, en dépit de la baisse démographique observée dans les pays de l'est et du sud de la Méditerranée durant la période. Il en résulte que, dans les pays du sud de la Méditerranée, 50 % de la population a aujourd'hui moins de 25 ans. D'ici à 2025, la population du Maghreb devrait croître de 48 %, contre 3 % pour celle de l'Union européenne.

L'emploi constitue une autre ligne de fracture : le PIB par habitant dans l'Union européenne est 14 fois plus élevé que le PIB dans les pays du Maghreb. Il est 20 fois plus important en Allemagne, 19 fois en France et 12 fois en Espagne. Les transferts de fonds liés à l'émigration représentent 6,3 % du PIB au Maroc, 2,3 % en Algérie, 4,1 % en Tunisie (voir aussi l'infographie p. 68).

LA DIASPORA TURQUE EN EUROPE DE L'OU

La Méditerranée sud-nord, est-ouest

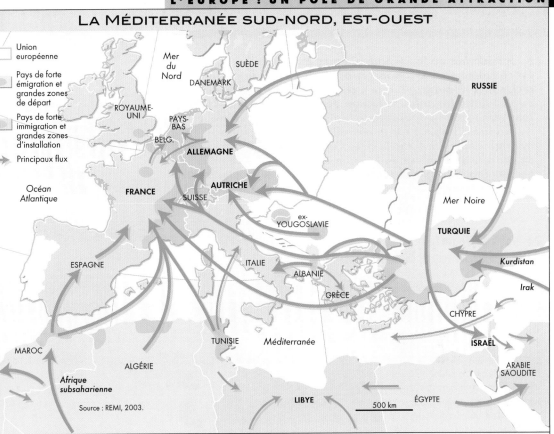

Union européenne

Pays de forte émigration et grandes zones de départ

Pays de forte immigration et grandes zones d'installation

Principaux flux

Océan Atlantique

Mer du Nord

SUÈDE
DANEMARK
ROYAUME-UNI
PAYS-BAS
BELG.
ALLEMAGNE
AUTRICHE
SUISSE
ex-YOUGOSLAVIE
FRANCE
ITALIE
ALBANIE
GRÈCE
ESPAGNE
RUSSIE
Mer Noire
TURQUIE
Kurdistan
Irak
CHYPRE
ISRAËL
ARABIE SAOUDITE
MAROC
ALGÉRIE
TUNISIE
Méditerranée
LIBYE
ÉGYPTE
Afrique subsaharienne

Source : REMI, 2003.

500 km

Principales portes d'entrée (illégales) en Turquie

Zones de rassemblement des migrants clandestins

Régions de peuplement turc hors Turquie

Villes relais de la circulation migratoire

Principaux itinéraires routiers

Itinéraires maritimes

Nouveaux relais vers l'Europe de l'Ouest : Madrid et Moscou

Pays et régions d'immigration

Régions d'immigration dense

Grandes agglomérations d'immigration turque

Sources : de Tapia, GIP Reclus, 1994 ; REMI, 2003.

Le codéveloppement

LE PROCESSUS DE BARCELONE. Entamé en 1995, il a inscrit l'Union européenne dans un programme de dialogue euroméditerranéen axé notamment sur le codéveloppement et le partenariat avec la rive sud de la Méditerranée, proposant la circulation des biens comme alternative à la circulation des hommes, sur le modèle des accords américano-mexicains de libre-échange (Alena). Des politiques de réinsertion, inspirées des politiques de retour du milieu des années 1970 (Allemagne-Turquie, Pays-Bas-Maroc, France-Maghreb, Espagne et Portugal) ont proposé des formations et des aides au développement en échange du retour des migrants. Toutes ces politiques ont globalement échoué.

PLUS IL Y A DE MIGRATION, PLUS IL Y A DE DÉVELOPPEMENT. Dans les régions de départ, la migration se traduit par des transferts de fonds, par l'exportation de savoir-faire professionnels, la modernisation des modes de vie et des mentalités, les changements de comportements socioculturels, voire politiques, même si la manne de l'immigration peut aussi entraîner une dépendance à l'égard de l'extérieur et pousser à des dépenses ostentatoires et peu productives (maisons inhabitées, projets cafés commerces taxis).

À l'inverse, plus il y a de développement, plus il y a de migrations. La libre circulation des biens entraîne souvent la mobilité des hommes, libérant des masses rurales au chômage vers les grandes villes, puis pour l'émigration.

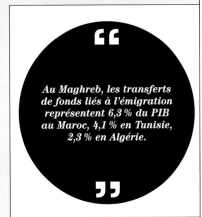

Au Maghreb, les transferts de fonds liés à l'émigration représentent 6,3 % du PIB au Maroc, 4,1 % en Tunisie, 2,3 % en Algérie.

Au lendemain de la Seconde Guerre mondiale, le pétrole est consacré source d'énergie essentielle. En outre, la croissance démographique exceptionnelle jusqu'à l'aube du XXIᵉ siècle (et aujourd'hui en déclin) a provoqué des mouvements de population à l'intérieur et à l'extérieur du monde arabe. La rente pétrolière et les migrations internationales ont partie liée. Certains pays ayant du pétrole et d'autres de la main-d'œuvre, peu de pays arabes (sauf l'Algérie) possèdent les deux à la fois, d'où un appel de population des premiers vers les seconds.

Les pays de départ, pays d'explosion démographique

La poussée démographique de la seconde moitié du XXᵉ siècle dans le monde arabe est la plus élevée du monde : entre 1990 et 2000, la population arabe se multiplie par 3,85, contre 2,4 pour la population mondiale et 2,8 pour les pays en voie de développement hors monde arabe. Aujourd'hui, du fait du planning familial et du travail des femmes, beaucoup de pays arabes entrent dans une phase de déclin démographique.

LES PALESTINIENS. L'âge d'or des migrations interarabes se situe autour des années 1980. Au lendemain de la hausse des tarifs pétroliers en 1973, les pays du Golfe font appel à la main-d'œuvre étrangère. La solidarité interarabe désigne en priorité des Palestiniens qui, dès après 1967, se dirigent vers le Golfe et la péninsule arabique, alors que la fécondité à Gaza atteint un record mondial (8,13 enfants par femme aujourd'hui), tout en étant bien scolarisés.

ET LES ÉGYPTIENS, YÉMÉNITES ET JORDANIENS. Jusqu'à la Première Guerre du Golfe (1991), l'émigration est également massive au départ de l'Égypte, du Yémen et de la Jordanie, avec formations spécialisées dans les pays de départ et transferts de fonds (5 milliards de dollars pour l'Égypte au début des années 1980). Le départ est une affaire familiale : un émigré fait vivre trois ou quatre personnes. Les Égyptiens sont les plus nombreux dans le Golfe entre 1973 et 1991, suivis par les Jordaniens (40 % de la population active avait émigré au milieu des années 1980), les réfugiés palestiniens du Liban, les Syriens (400 000 dans le Golfe en 1985), puis les

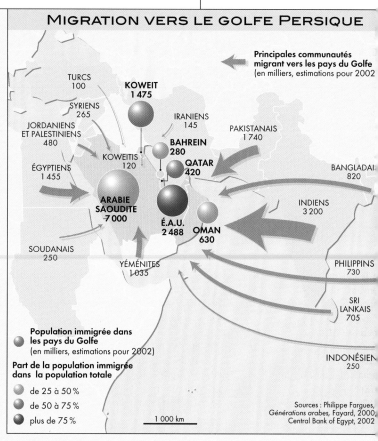

MIGRATION VERS LE GOLFE PERSIQUE

Principales communautés migrant vers les pays du Golfe
(en milliers, estimations pour 2002)

TURCS 100
KOWEIT 1 475
SYRIENS 265
IRANIENS 145
JORDANIENS ET PALESTINIENS 480
PAKISTANAIS 1 740
KOWEITIS 120
BAHREIN 280
ÉGYPTIENS 1 455
QATAR 420
BANGLADAI 820
ARABIE SAOUDITE 7 000
É.A.U. 2 488
OMAN 630
INDIENS 3 200
SOUDANAIS 250
YÉMÉNITES 1 035
PHILIPPINS 730
SRI LANKAIS 705

Population immigrée dans les pays du Golfe
(en milliers, estimations pour 2002)

Part de la population immigrée dans la population totale

de 25 à 50 %
de 50 à 75 %
plus de 75 %

INDONÉSIEN 250

1 000 km

Sources : Philippe Fargues, *Générations arabes*, Fayard, 2000, Central Bank of Egypt, 2002

ressortissants des pays d'Asie du Sud-Est et du subcontinent indien (plus de 3 millions au début des années 1980 – 1 million d'Indiens, de Pakistanais, de Philippins).

MIGRATIONS DE REMPLACEMENT. Les pays de départ se trouvent ainsi en proie à des pénuries de main-d'œuvre et à des migrations de remplacement (Égyptiens et Turcs vont ainsi travailler en Jordanie). Ces migrants sont d'autant plus attirés par le Golfe que l'Europe s'est fermée à l'immigration de travail

depuis 1974. La baisse des prix du pétrole de 1982-1983 ne provoque pas de reflux de l'émigration, faute d'alternative. Seule l'invasion de l'Irak en 1991 provoque un reflux des travailleurs égyptiens et stabilise les migrations asiatiques : 3 millions d'expatriés légaux quittent la région (Égyptiens, Irakiens, Palestiniens, Yéménites). Aujourd'hui, les Asiatiques sont fortement majoritaires dans le Golfe (3,3 millions en 1998 suivis par 2 millions d'Égyptiens et 800 000 Yéménites).

UD-SUD

L'ÉMIGRATION DES TRAVAILLEURS ÉGYPTIENS

Main d'œuvre égyptienne dans le Golfe et les autres pays arabes, en 1999

IRAK 66 000
JORDANIE 227 000
KOWEIT 191 000
BAHREIN 4 000
LIBYE 333 000
ÉGYPTE 1 902 000 travailleurs temporaires à l'étranger
QATAR 25 000
ARABIE SAOUDITE 924 000
ÉMIRATS AR. UNIS 95 000
OMAN 15 000
YÉMEN 22 000
Océan Indien

Travailleurs égyptiens, par pays d'accueil

1 000 km

Source : CAPMAS, 1999.

Les pays d'accueil : pays du Golfe, Libye mais aussi l'Europe et les États-Unis

Face au sous-peuplement de la région et aux ressources dont ils disposent, les pays du Golfe sont le principal pôle d'attraction dans la région, car la rente pétrolière génère des transferts de fonds substantiels (un milliard de dollars par an au début des années 1980). Durant les années 1980, l'immigration continue. Elle constitue :

51 % de la population active	au Bahreïn
50 %	en Arabie saoudite
70 %	en Oman
86 %	au Koweït
89 %	dans les Émirats arabes unis
92 %	au Qatar

Mais il s'agit surtout de *Gastarbeiter* (travailleurs «invités»), se mélangeant peu à la population, avec une surreprésentation masculine. Aujourd'hui on compte environ 10 millions d'immigrés dans la région dont plus de 5 millions en Arabie saoudite et 1,5 million dans les Émirats arabes unis. L'immigration clandestine est facilitée par le pèlerinage à La Mecque qui permet à des musulmans d'entrer sans permis de travail.

Autre pôle d'attraction, la Libye, producteur de pétrole qui a pris le relais après la crise dans le Golfe comme second importateur de main-d'œuvre dans le monde arabe. Mais elle a procédé à des expulsions massives au milieu des années 1990.

L'Europe et les États-Unis sont aussi des zones d'accueil, pour les Libanais dès 1975 suite à la guerre civile, pour les Égyptiens (Italie, France) et pour les réfugiés du Moyen-Orient (États-Unis, Canada notamment).

> ❝
> *La manne de l'immigration est appelée à décroître car l'explosion démographique dans le monde arabe est terminée.*
>
> PHILIPPE FARGUES, *GÉNÉALOGIES ARABES. L'ALCHIMIE DU NOMBRE.* PARIS, FAYARD, 2000.
> ❞

TRANSFERTS DE FONDS

Transferts de fonds des Égyptiens en provenance des pays du Golfe
(en millions de dollars US, prévisions 2001/2002)

Total	1 278,8
Arabie saoudite	612,4
Émirats ar. unis	312,7
Koweit	246
Bahrein	54,2
Qatar	42,2
Oman	11,3

Source : Central Bank of Egypt, décembre 2002.

MIGRANTS ASIATIQUES EN TÊTE

Répartition asiatiques/arabes des étrangers en 2002, pour chaque pays du Golfe

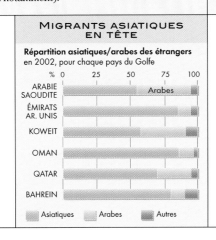

% 0 — 25 — 50 — 75 — 100
ARABIE SAOUDITE — Arabes
ÉMIRATS AR. UNIS
KOWEIT
OMAN
QATAR
BAHREIN

Asiatiques — Arabes — Autres

Ponctionnée, jusqu'au XIXe siècle par l'esclavage, l'Afrique subsaharienne s'est inscrite tardivement dans la dynamique des migrations internationales, à partir du milieu des années 1960, après avoir été traversée par les « 3 M » (marchands, militaires, missionnaires).

La migration extérieure

Les réfugiés se dirigent d'abord des campagnes vers les grandes villes (mégapolisation) avant de tenter le voyage vers l'Europe : on compte 3,5 millions d'Africains en Europe dont 2 millions sont originaires du Maghreb et 1 million d'Afrique subsaharienne. 415 000 viennent d'Afrique de l'Ouest (128 000 en France, 82 000 au Royaume-Uni, 74 000 en Allemagne, 62 800 en Italie).

LE RÔLE DES RÉSEAUX. Certains groupes particulièrement actifs, comme les Mourides (Sénégalais de stricte obédience musulmane) tissent des réseaux commerçants. D'autres multiplient les associations villageoises de développement comme chez les Maliens ou les « tontines » pour canaliser l'épargne à des fins d'investissement collectif. Dans la vallée du fleuve Sénégal, les transferts de fonds représentent jusqu'à 60 % des budgets familiaux et plus de 20 % du PNB au Cap-Vert et en Érythrée.

NOUVEAU PROFIL DE MIGRANTS. Beaucoup sont demandeurs d'asile mais se trouvent déboutés et viennent grossir le nombre des sans-papiers en Europe. Près de 47,5 % des migrants africains sont des femmes, qu'il s'agisse du regroupement familial vers l'Europe ou de migrations de trafic des pays du Golfe. On assiste aussi à la migration plus ou moins forcée d'enfants. Les flux de main-d'œuvre non qualifiée restent primordiaux, même si l'exode des cerveaux représente quelque 80 000 cadres africains hautement qualifiés.

LES AFRICAINS EN EUROPE

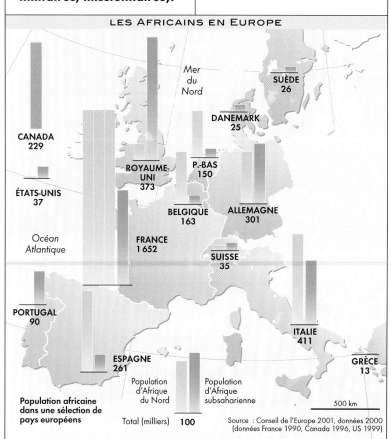

CANADA 229

ÉTATS-UNIS 37

Océan Atlantique

PORTUGAL 90

Mer du Nord

SUÈDE 26

DANEMARK 25

ROYAUME-UNI 373

P.-BAS 150

BELGIQUE 163

ALLEMAGNE 301

FRANCE 1 652

SUISSE 35

ITALIE 411

ESPAGNE 261

GRÈCE 13

Population africaine dans une sélection de pays européens

Population d'Afrique du Nord

Population d'Afrique subsaharienne

500 km

Total (milliers) **100**

Source : Conseil de l'Europe 2001, données 2000 (données France 1990, Canada 1996, US 1999)

Quatre grands facteurs de mobilité

LA CROISSANCE DÉMOGRAPHIQUE, avec un taux de natalité le plus élevé (38 ‰) et un taux de mortalité le plus bas du monde (13,9 ‰), à cause de la jeunesse de sa population.

LA PAUVRETÉ : 38 des six pays classés dans les économies à faible revenus par la Banque mondiale et 34 des 49 pays dits les moins avancés (PMA) sont africains. Celle-ci s'est aggravée par l'inégale répartition de la population : l'Afrique de l'Ouest compte 40 % de la population totale, l'Afrique de l'Est 37 %, l'Afrique australe 8 %.

L'APPAUVRISSEMENT DES RESSOURCES NATURELLES, dont la sécheresse fait partie. Déforestation, désertification, urbanisation accélérée accentuent la raréfaction de l'eau et la faible productivité de l'agriculture.

LES CONFLITS : guerres civiles comme au Rwanda entre 1994 et 1995, en Côte d'Ivoire, au Sierra Leone, en Somalie, au Congo.

> **"**
>
> *Si les frontières posent problème, c'est moins parce qu'elles découpent que parce qu'elles recoupent.*
>
> MICHEL FOUCHER, *FRONTS ET FRONTIÈRES. UN TOUR DU MONDE GÉOPOLITIQUE.* PARIS, FAYARD, 1991.
>
> **"**

MIGRATIONS INTÉRIEURES

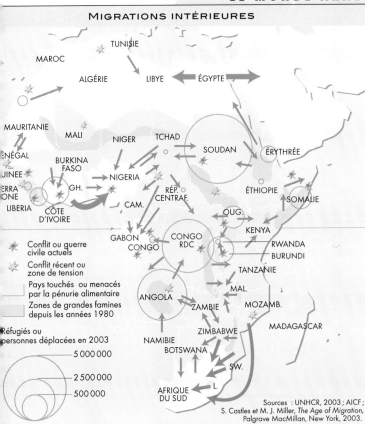

Conflit ou guerre civile actuels

Conflit récent ou zone de tension

Pays touchés ou menacés par la pénurie alimentaire

Zones de grandes famines depuis les années 1980

Réfugiés ou personnes déplacées en 2003

5 000 000

2 500 000

500 000

Sources : UNHCR, 2003 ; AICF ;
S. Castles et M. J. Miller, *The Age of Migration*,
Palgrave MacMillan, New York, 2003.

Migration intérieure

Outre le Maghreb, devenu pays d'accueil et de transit et qui peine à contrôler ses frontières au sud, l'Afrique subsaharienne comporte une très grande diversité de situations migratoires : des pays d'accueil traditionnels (Côte d'Ivoire et Gabon) ou plus récents (Botswana et Afrique du Sud), des pays de départ (Burkina Faso, Lesotho), des pays d'accueil et de départ (Sénégal, Nigeria, Ghana), des pays d'accueil devenus pays de départ (Ouganda, Zambie, Zimbabwe), des zones de départ et d'accueil des réfugiés (Burundi, Éthiopie, Liberia, Malawi, Mozambique, Tanzanie, Rwanda, Somalie, Soudan), ainsi qu'une migration de commerçants, de travailleurs qualifiés, de nomades, de frontaliers, compte tenu des traditions de mobilité et de découpage des frontières.

DES POLITIQUES D'IMMIGRATION. La plupart de ces migrations se font hors du contrôle des États (travailleurs du Botswana, Lesotho, Swaziland, Mozambique, Malawi vers les régions minières). Mais le Nigeria lutte contre l'immigration clandestine et n'accueille que 700 000 immigrés. L'Afrique du Sud, la Namibie et le Botswana sont aujourd'hui une puissante zone d'attraction pour les plus qualifiés et ont récemment mis en œuvre des politiques migratoires sélectives.

CEUX QUI PARTENT. Ceux qui partent sont les plus jeunes, les femmes et les moins qualifiés. L'Afrique de l'Ouest constitue la plus forte concentration de migrants intra-régionaux et la première région d'émigration vers l'Europe. Les premiers États d'émigration sont la Somalie (122 700), le Sénégal (78 700), le Nigeria (76 800), le Ghana (72 800) et le Congo (67 400).

Deux situations de crise

La région des grands lacs montre plus qu'ailleurs une corrélation entre migrations et conflits ethniques : la pression démographique entraîne une forte densité de population opposant les agriculteurs à l'origine sédentaires aux éleveurs nomades, dans un climat d'ethnicisation des appartenances, génératrices du génocide.

Ailleurs, comme au Soudan, le plus grand pays d'Afrique, la sécheresse, les rivalités pour le partage des terres et de la manne pétrolière, la résurgence d'anciens conflits ethniques auxquels s'est ajouté le soutien apporté par le gouvernement à la montée de l'islamisme radical dans les années 1990 expliquent la situation de guerre civile, qui sévit depuis quarante ans, notamment dans la zone pastorale du Darfour.

MIGRATIONS VERS L'EUROPE PAR PAYS D'ORIGINE

Les douze premiers pays africains d'émigration

SÉNÉGAL
CAP-VERT   MALI
             NIGERIA   ÉTHIOPIE
CÔTE   CAMEROUN
D'IVOIRE   SOMALIE
    GHANA   CONGO
                    RDC

Nombre d'émigrés hors d'Afrique, en 2001

123 000
70 000   ANGOLA
30 000   MAURICE
              AFRIQUE
              DU SUD

Ceux qui ont choisi en priorité...

le Royaume-Uni   la France

l'Italie   l'Allemagne

5 000 à 10 000 expatriés

Plus de 10 000 expatriés

Source : Conseil de l'Europe, 2001.

L'Asie se prête mal à la synthèse ou à la typologie des politiques migratoires, compte tenu de sa diversité et de son étendue : l'Asie de l'Ouest (Turquie, Proche et Moyen-Orient), l'Asie du Sud (Inde, Pakistan, Chine), l'Asie du Sud-Est (péninsule indochinoise, Japon, Thaïlande, Malaisie, Indonésie).

Des zones d'attraction aux économies très développées (Japon, Hong Kong, Corée du Sud, Taiwan) s'opposent à d'autres parmi les plus pauvres du monde, où la migration est une forme de survie, quand elle ne constitue pas une fuite ou un départ forcé, comme les Afghans en Iran, au Pakistan, en Turquie et en Russie. Certains pays sont de grandes zones d'accueil de réfugiés dans le monde, comme l'Iran et le Pakistan, d'autres des foyers d'émigration et d'immigration à la fois, comme la Thaïlande et la Malaisie, entraînant une migration en chaîne où les uns quittent le pays pour de meilleurs emplois, remplacés par d'autres venus y chercher du travail.

La Turquie

UN PAYS D'ACCUEIL ET DE TRANSIT. Premier pays d'émigration en Europe, la Turquie est à la fois un pays de départ depuis les années 1960, notamment vers l'Allemagne (près de 2 millions de Turcs), mais aussi un pays d'accueil et de transit pour des migrants en attente d'une seconde destination : travailleurs au noir venus de Russie, d'Ukraine, de Moldavie, de Roumanie dans le bâtiment, l'agriculture, les services domestiques, la prostitution, commerçants « à la valise » (comme à la frontière turco-géorgienne au début des

Istanbul : une mégapole de l'immigration

La population y a été multipliée par dix en quarante ans, passant de 1 million d'habitants en 1945 à 10 millions en 1993, soit l'équivalent de la Grèce, et les prévisions anticipent 17 millions en 2010. La population de la ville s'accroît de 23 personnes toutes les heures, d'un village de 500 habitants tous les jours, d'une ville de 4 500 habitants tous les mois : Iraniens, Azéris, « Caucasiens » et autres turcophones d'Asie centrale, Pakistanais, Roumains, Bosniaques, Bulgares forment le paysage d'un « Istanbulistan » partagé entre la ruralité des flux et la modernité des élites. Il s'y ajoute quelque 300 000 migrants internes car l'arrière-pays se vide au profit de la façade méditerranéenne.

années 1990), compte tenu de l'interférence actuelle entre le monde russe et le monde centrasiatique. Certains de ces migrants cherchent à pénétrer dans l'Union européenne, d'autres sont des migrants de retour (Turcs de Bulgarie), ou cherchent refuge. On estime le nombre des entrées à 300 000 en 2001, dont plus d'un tiers de clandestins.

L'ÉMIGRATION. L'émigration turque relève surtout du regroupement familial (mariages avec des ressortissants turcs de l'Union européenne), mais aussi de la demande d'asile kurde et d'autres moyen-orientaux transitant par la Turquie (Afghans, Iraniens, Irakiens), enfin de travailleurs sous contrat, à destination principalement de la CEI, où la Turquie accroît son aire d'influence dans les zones turcophones (Turkménistan, Azerbaïdjan, Ouzbékistan, etc.).

Dans le cadre du processus de préaccession de la Turquie à l'Union européenne, des négociations sont en cours pour la mise en œuvre de l'acquis communautaire (contrôle des frontières, asile).

> « De 8 à 10 millions de Turcs passent chaque année la frontière. Les trois quarts de ces voyageurs sont des nationaux vivant dans les pays d'immigration. »
>
> STÉPHANE DE TAPIA, *PROJET*, N° 272, DÉC. 2002.

FLUX D'IMMIGRATION ET D'ÉMIGRATION

Europe du Nord — Roumanie et Bulgarie — Moldavie — Ukraine — Russie — Allemagne et Autriche — Azerbaïdjan — France, Belgique, Suisse — Afghanistan et Pakistan — TURQUIE — Bangladesh, Sri Lanka — Grèce — Iran — Irak — Nigeria, Somalie, Congo RDC — Israël — Afrique du Nord

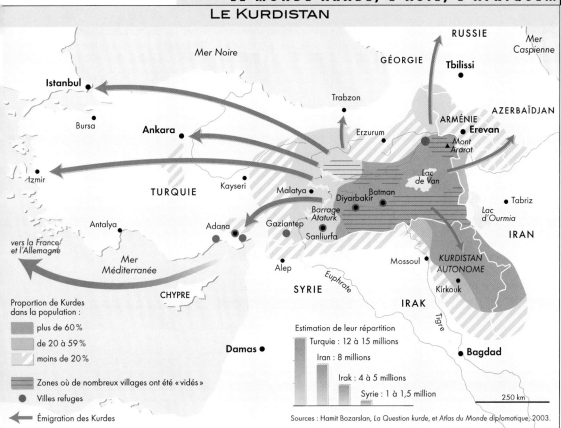

LE KURDISTAN

Proportion de Kurdes dans la population :
- plus de 60 %
- de 20 à 59 %
- moins de 20 %
- Zones où de nombreux villages ont été « vidés »
- Villes refuges
- Émigration des Kurdes

Estimation de leur répartition
- Turquie : 12 à 15 millions
- Iran : 8 millions
- Irak : 4 à 5 millions
- Syrie : 1 à 1,5 million

250 km

Sources : Hamit Bozarslan, *La Question kurde*, et *Atlas du Monde diplomatique*, 2003.

Les minorités

LES ARMÉNIENS. Pour décrire leur diaspora, les Arméniens (7 millions dans le monde dont 3 millions en Arménie) utilisent la métaphore du noyer aux racines étendues. Installés dans l'empire turc depuis 1453 et vivant dans l'autonomie communautaire et religieuse (millet), ils manifestent au XIXe siècle un nationalisme fortement réprimé par les Turcs qui favorise leur émigration. Mais c'est le génocide de 1915 (1,5 million de morts) qui fonde la « grande diaspora » et maintient le « lien communautaire ». Les survivants se dirigent vers l'Arménie russe, la France, les États-Unis, l'Égypte, le Liban, l'Argentine. Depuis son indépendance en 1991, l'Arménie a perdu 25 % de sa population dans la diaspora (un million émigrent entre 1992 et 1999). Aujourd'hui, 2 millions vivent en Russie, 1 million aux États-Unis et 400 000 en France (voir aussi p. 14-15).

LES KURDES. Les Kurdes constituent, estime-t-on, de 20 à 25 % des migrants de Turquie. Ils ont commencé à émigrer vers l'Europe dans les années 1960-1970, mais la demande d'asile kurde vers l'Europe n'apparaît qu'à partir du milieu des années 1980. On compte 25 millions de Kurdes au Moyen-Orient, divisés entre quatre États (Turquie, Syrie, Irak et Iran). La question kurde date de la constitution de l'État kémaliste, qui met fin à tout espoir de constitution d'un État kurde, envisagé par le traité de Sèvres de 1920. Macro-ethnie, mouvement transfrontalier, une diaspora kurde s'est constituée en Europe à partir des années 1960 (on compte environ 500 000 Kurdes turcs en Allemagne, 300 000 en France, Pays-Bas, Belgique, Suisse, Scandinavie réunis, des Kurdes irakiens au Royaume-Uni, des Kurdes iraniens aux États-Unis, en Scandinavie). La question kurde est devenue un enjeu capital au Moyen-Orient car les régions kurdes détiennent l'essentiel de l'eau (barrages en Turquie), du pétrole (Irak, Iran), des minerais (Iran, Turquie), pratiquent l'agriculture et l'élevage : des ressources dont dépendent la Turquie et l'Irak.

ALÉVIS ET ASSYRO-CHALDÉENS. Moins connus, les Alévis et les Assyro-Chaldéens forment une migration un peu oubliée, à la religion et à la culture spécifiques (3 millions, dont la plupart vivent en exil). Les Alévis constituent l'une des fractions minoritaires de l'Islam turc. Organisés, comme d'autres, en confréries, ils ne fréquentent pas la mosquée. De leur côté, les Assyro-Chaldéens sont des chrétiens de rite oriental, représentés également en Syrie, en Palestine et au Liban ainsi que chez les minorités grecques de Turquie retournés en Grèce lors des échanges de population des années 1920.

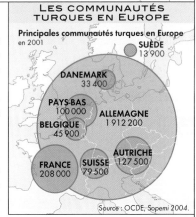

LES COMMUNAUTÉS TURQUES EN EUROPE

Principales communautés turques en Europe en 2001

- SUÈDE 13 900
- DANEMARK 33 400
- PAYS-BAS 100 000
- ALLEMAGNE 1 912 200
- BELGIQUE 45 900
- AUTRICHE 127 500
- FRANCE 208 000
- SUISSE 79 500

Source : OCDE, Sopemi 2004.

LE PROCHE ET LE MOYEN-ORIENT

*Migrations forcées liées
à de grands conflits
(Israël-Palestine, Kurdistan)
et à des guerres civiles
(Tchétchénie, Irak) ; de
nature écologique (mers
d'Aral et Caspienne,
déforestation du Tibet
oriental). L'Asie centrale,
constituée pour l'essentiel
par l'ancienne CEI
(Communauté des États
indépendants) connaît
une intense migration
intérieure vers la Russie
et l'Ukraine, une migration
extérieure et une
migration pendulaire
vers l'Union européenne
(voir p. 38-39). Tantôt
l'État est le principal
enjeu du conflit et de
l'émigration, tantôt
comme en Turquie, les
réseaux
et la mondialisation sont*

LES RÉFUGIÉS AFGHANS

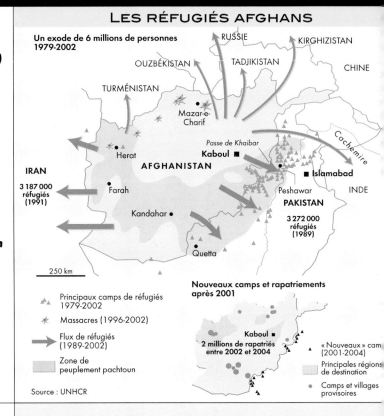

Un exode de 6 millions de personnes
1979-2002

3 187 000 réfugiés (1991)

3 272 000 réfugiés (1989)

250 km

Nouveaux camps et rapatriements après 2001

Kaboul ■
2 millions de rapatriés
entre 2002 et 2004

▲▲ Principaux camps de réfugiés
1979-2002

✳ Massacres (1996-2002)

➤ Flux de réfugiés
(1989-2002)

Zone de
peuplement pachtoun

« Nouveaux » camps
(2001-2004)

Principales régions
de destination

● Camps et villages
provisoires

Source : UNHCR

*Cette région, l'une des plus
conflictuelles du globe,
est à la source du plus grand flux
de réfugiés et des principales
diasporas de la planète.*

Conflits et pauvreté générateurs de migration

LES AFGHANS. En Afghanistan, depuis 1979, date de l'invasion soviétique, l'exode constitue la plus importante migration de réfugiés contemporaine : 6 millions, vers le Pakistan et l'Iran. Pendant plus de 20 ans, des vagues de réfugiés se succèdent jusqu'à la chute des talibans due à l'intervention américaine de fin 2001. 4 millions seraient retournés au pays. Les réfugiés afghans au Pakistan, établis dans des camps où ils ont organisé parfois la résistance sont rentrés pour 1,6 million d'entre eux. En Iran, où ils forment une immigration laborieuse, 300 000 sont repartis. Il en resterait 1,5 million au Pakistan et 2 millions en Iran. Une diaspora d'environ 400 000 personnes s'est dirigée vers l'Europe et le continent américain.

À côté des masses qui ont fui vers les pays voisins, une immigration d'élite (professions libérales et étudiants) s'est installée en Occident. Le nombre d'Afghans en Allemagne, opposants aux communistes ou aux talibans, passe de 1600 en 1977 à 80 000 aujourd'hui. La Suisse est le septième pays d'installation en Europe pour les Afghans. Beaucoup y vivent dans l'entre-soi de la communauté en exil. D'autres conflits, comme la Tchétchénie provoquent une migration d'asile vers l'Europe.

L'IRAK. Avec le durcissement du régime de Saddam Hussein depuis la première guerre du Golfe (1991), une élite irakienne a trouvé refuge en Europe et aux États-Unis. Il s'y est ajouté une migration de Kurdes, nouveaux *boat people* de la Méditerranée, comme l'a montré le naufrage du Monica, au large de l'Italie, en 2002. Une troisième migration s'est produite au lendemain de l'attaque américaine vers les pays voisins pour l'essentiel.

Le «Proche-Orient»

La région couverte par le Liban, la Palestine, Israël, la Syrie, est à la fois réceptrice et émettrice de migrations. Résultant d'une tradition de commerce et de la crise politique, la diaspora libanaise s'est développée vers l'Amérique latine (Argentine), les États du golfe de Guinée et du golfe Persique, ainsi qu'aux États-Unis et dans l'Union européenne. Cette diaspora de 2,5 millions atteint la population actuelle du Liban.

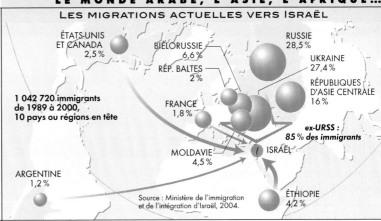

LES MIGRATIONS ACTUELLES VERS ISRAËL

ÉTATS-UNIS ET CANADA 2,5 %
BIÉLORUSSIE 6,6 %
RÉP. BALTES 2 %
RUSSIE 28,5 %
UKRAINE 27,4 %
RÉPUBLIQUES D'ASIE CENTRALE 16 %

1 042 720 immigrants de 1989 à 2000, 10 pays ou régions en tête

FRANCE 1,8 %

ex-URSS : 85 % des immigrants

MOLDAVIE 4,5 %
ISRAËL

ARGENTINE 1,2 %

ÉTHIOPIE 4,2 %

Source : Ministère de l'immigration et de l'intégration d'Israël, 2004.

Israël-Palestine

La diaspora palestinienne, forte de 4 à 5 millions de personnes, est installée pour l'essentiel dans les pays arabes limitrophes, dans les pays du Golfe, dans le continent américain et en Europe. Des réseaux sociaux et culturels s'y développent, essentiellement l'esprit de solidarité et du retour, même si l'avenir est aujourd'hui dans l'impasse.

Elle s'est constituée en fuyant l'État d'Israël, autre symbole de référence d'une diaspora pour les juifs du monde entier. Il s'agit là, en effet d'un pays d'immigration par élection, fondé sur le droit au retour et l'identité religieuse comme critère d'appartenance, une politique d'inclusion par l'accès à la nationalité, l'adoption de la langue et l'attribution de terres au pionniers. Depuis les années 1990, le pays a connu un afflux de nouveau entrants originaires de la CEI (1,4 million entre 1990 et 2000) - voir aussi p. 38-39.

LES CONFLITS DANS LE PROCHE ET LE MOYEN-ORIENT

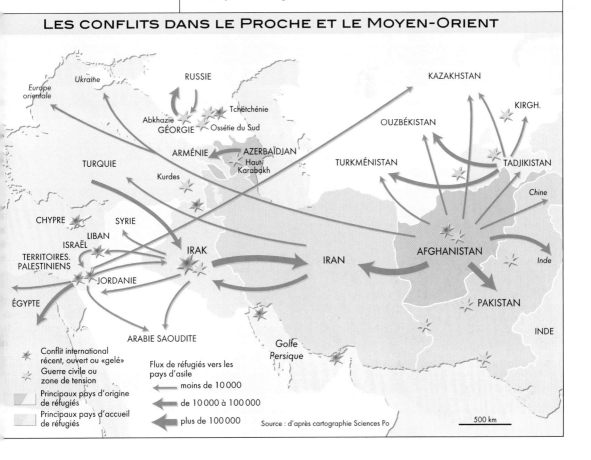

Europe orientale
Ukraine
RUSSIE
KAZAKHSTAN
KIRGH.
Abkhazie
Tchétchénie
GÉORGIE — Ossétie du Sud
OUZBÉKISTAN
ARMÉNIE
AZERBAÏDJAN
Haut-Karabakh
TURKMÉNISTAN
TADJIKISTAN
TURQUIE
Kurdes
Chine
CHYPRE
SYRIE
LIBAN
ISRAËL
TERRITOIRES. PALESTINIENS
IRAK
IRAN
AFGHANISTAN
Inde
JORDANIE
ÉGYPTE
PAKISTAN
INDE
ARABIE SAOUDITE
Golfe Persique

Conflit international récent, ouvert ou «gelé»
Guerre civile ou zone de tension
Principaux pays d'origine de réfugiés
Principaux pays d'accueil de réfugiés

Flux de réfugiés vers les pays d'asile
moins de 10 000
de 10 000 à 100 000
plus de 100 000

Source : d'après cartographie Sciences Po

500 km

Les migrations régionales interasiatiques se développent à un moment où l'Europe se ferme à l'immigration.
Les facteurs sont souvent spécifiques à la zone concernée, mais c'est la diversité des niveaux de développement économique, opposant des pays pauvres et très peuplés (Philippines, Indonésie, Chine) à des pays alliant un déclin démographique à un grand dynamisme économique (Brunei, Malaisie, Singapour, Japon) qui explique la mobilité.
L'instabilité politique est un autre facteur : conflits ethniques, régionaux et interrégionaux (Myanmar). Les migrations sont enfin liées à un marché illégal de l'exportation de la main-d'œuvre : solution à la surpopulation et au chômage, le trafic des êtres humains confine parfois à une quasi-traite dans les entreprises délocalisées puis dans les pays occidentaux.

Les grandes mutations

DE L'ÉMIGRATION À L'IMMIGRATION. Des éléments récents expliquent que plusieurs pays d'Asie du Sud et du Sud-Est sont passés de l'émigration à l'immigration : la Chine est entrée dans l'espace migratoire suite à une relative ouverture politique ; la main-d'œuvre qualifiée fait l'objet d'une demande élevée, dans la région et au-delà (Europe, États-Unis, Canada). L'immigration illégale se développe à l'intérieur même des pays asiatiques. La récession économique a eu un impact sur les pays à économies d'exportation, comme Singapour ou les Philippines. Les besoins de main-d'œuvre dans certains secteurs comme la construction et l'industrie (Japon, Corée du Sud) se sont fait sentir dans les pays à faible natalité. Les conséquences sont une féminisation accrue des flux migratoires provenant des Philippines, d'Indonésie et du Sri Lanka et une dépendance économique des pays d'origine à l'égard des transferts de fonds des migrants.

TYPOLOGIE

• Des pays de départ exclusivement : Pakistan, Inde, Népal, Bangladesh, Sri Lanka, Indonésie, Philippines, Vietnam, Chine à destination de l'Europe, de l'Amérique du Nord, ainsi que de la Malaisie, de Singapour et des pays du Golfe.
• Des pays d'émigration et d'immigration (Thaïlande, Taiwan, Hongkong, Corée du Sud) accueillent les migrants de la péninsule indochinoise (Cambodge, Laos, Vietnam, Myanmar).
• Des pays d'emploi exclusivement (Brunei, Japon) ou d'installation (Malaisie, Singapour) et, secondairement, des pays de départ. Ainsi, la Malaisie envoie des travailleurs qualifiés à Singapour mais accueille des travailleurs non qualifiés dans le bâtiment et les plantations.

Inde et Pakistan

Jusqu'au milieu des années 1970, les flux de migrants les plus importants sont liés à la décolonisation et aux « guerres de succession ». La constitution de l'Inde et du Pakistan en 1947 provoque l'exode de 15 millions de réfugiés de part et d'autre de la frontière des deux nouveaux pays. La guerre civile de 1972, qui conduisit à l'indépendance du Bangladesh, provoque un flux de deux millions de personnes. Il s'y ajoute des migrations internes, comme la population du Kerala qui, en Inde, migre vers le Nord et les grandes métropoles.

Mais la migration de travail à l'étranger, qui prédomine dans l'Asie du Sud par rapport aux pays d'Asie du Sud-Est a décliné : la part du Pakistan et de l'Inde dans le flux total de migrants vers le Moyen-Orient est passée de 72 % en 1976 à 27 % en 1989. Inversement, celle des migrants originaires d'Asie de l'Est et du Sud-Est a doublé sur la même période, de 24 % à 51 %. On compte environ 20 millions d'Indiens à l'étranger, dont une partie de migrants qualifiés et très qualifiés, dans la médecine et l'ingénierie notamment. Certains parlent d'exode de cerveaux, alors que 65 % de la population habite en bidonville à Bombay, 40 % à Calcutta et 40 % à New Delhi.

LE PAKISTAN. Le Pakistan, second pays d'accueil au monde des réfugiés de la région après l'Iran, reste néanmoins essentiellement un pays de départ vers le Royaume-Uni (près d'un million), les pays du Golfe et aujourd'hui vers les pays d'Europe occidentale.

Un réfugié sur trois dans le monde vit en Iran ou au Pakistan.

ZONE INDE-PAKISTAN

Aksai Chin
Cachemire
AFGHAN.
PAKISTAN
Pendjab
Partition 1947
Kutch
INDE
1971
BANGLADESH
CHINE
NÉPAL
MYANMAR (BIRMANIE)
Migrations de travail vers les pays du Golfe
Kerala
Tamouls
SRI LANKA
1 000 km

Conflit international, différend frontalier
Guerilla, zone de tension

ISTAN

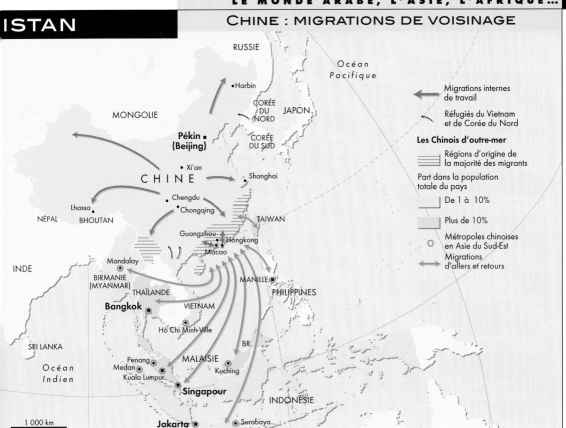

La Chine

Avec une diaspora de 30 à 50 millions de personnes dans le monde (contre environ 6 millions en 1910), la Chine est avec l'Inde le plus grand réservoir de main-d'œuvre du monde. Elle est entrée, au tournant des années 1990, dans la mondialisation avec une présence qui va de la CEI et du Japon à la Californie, en passant par l'Europe (comme l'a montré le drame de Douvres où, en 2000, 58 Chinois ont péri dans un container en essayant de traverser clandestinement la Manche).

UNE FORME COMPLEXE D'ÉMIGRATION. Comme les Indiens, les Chinois d'outre-mer développent des formes de migration complexes d'allers et retours d'une partie de la famille, avec double résidence et retour au moment de la retraite quand leur statut de séjour le leur permet. Il faut y ajouter, depuis respectivement 1997 et 1999 les Chinois de Hongkong et de Macao, rattachés à la République populaire de Chine. Aujourd'hui 70 % des Chinois de l'étranger vivent en Indonésie (7,9 millions), Thaïlande (6 millions), Malaisie (5,5 millions) et Singapour (2,1 million) et 20 % au Vietnam (2 millions) aux États-Unis (1,6 million), au Myanmar (1,5 million), aux Philippines (820 000) et au Canada (680 000). Le reste se répartit entre 126 autres pays. Les Chinois forment aussi la majorité de la population de Singapour (77 %).

LES ÉMIGRÉS. Originaires pour la plupart du littoral sud-est de la Chine, les émigrés chinois (380 000 départs par an en 2000) forment pourtant une grande diversité ethnolinguistique. Leurs transferts de fonds représentent environ 70 % de l'investissement étranger en Chine. En 1997 et 2001, 40 à 45 millions de dollars par an ont été investis dont 49,1 % pour Hongkong, 7,5 % pour Taiwan, 4,8 % pour Singapour, contre 8,6 % pour les États-Unis, 8,1 % pour le Japon et 7,7 % pour l'Union européenne.

LES IMMIGRÉS. En revanche, la Chine, comme le Vietnam, se ferme à l'immigration, avec quelque 500 000 immigrés. Les migrations internes créent des situations irrégulières à cause du système d'enregistrement local. La Chine s'efforce de ne plus perdre ses élites, bien qu'il y ait un lien entre l'exode des cerveaux et le volume des échanges économiques.

CHINE URBAINE ET RURALE

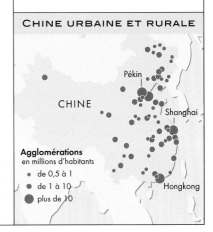

Agglomérations
en millions d'habitants
- de 0,5 à 1
- de 1 à 10
- plus de 10

La région connaît un développement accéléré et d'importants mouvements de population (1,4 % au Japon, 4 % en Thaïlande, 20 % en Malaisie, 27 % à Singapour). Elle est confrontée à une transition démographique, notamment dans les pays du « miracle asiatique » des années 1990 (Hongkong, Thaïlande, Singapour). Le Japon est, lui, passé d'un excédent à une pénurie de main-d'œuvre. Malgré le déclin démographique, la pratique de la « porte fermée » reste généralisée au Japon et en Corée. Les « tigres » asiatiques attirent une main-d'œuvre non qualifiée.

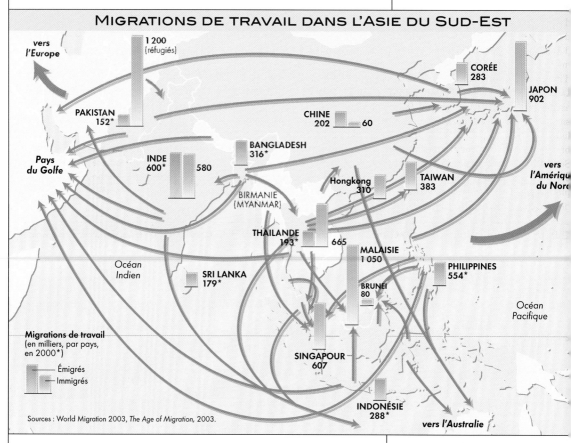

MIGRATIONS DE TRAVAIL DANS L'ASIE DU SUD-EST

vers l'Europe

1 200 (réfugiés)

CORÉE 283

JAPON 902

PAKISTAN 152*

CHINE 202   60

BANGLADESH 316*

Pays du Golfe

INDE 600*   580

BIRMANIE (MYANMAR)

Hongkong 310

TAIWAN 383

vers l'Amérique du Nord

THAÏLANDE 193*   665

MALAISIE 1 050

PHILIPPINES 554*

Océan Indien

SRI LANKA 179*

BRUNEI 80

Océan Pacifique

Migrations de travail (en milliers, par pays, en 2000*)

— Émigrés
— Immigrés

SINGAPOUR 607

INDONÉSIE 288*

vers l'Australie

Sources : World Migration 2003, *The Age of Migration*, 2003.

Philippines, Indonésie, îles du Pacifique

Avec 85 millions d'habitants, l'archipel philippin est devenu le premier exportateur mondial de sa main-d'œuvre. Au cours de ces vingt dernières années, les flux migratoires sont passés de 300 000 à 865 000 départs annuels. 7,3 millions de Philippins vivent à l'étranger, soit 11 % de la population du pays, dont 2,5 millions de résidents de longue durée, 2,9 millions de temporaires et environ 1,8 million de clandestins. 18,5 % de la population active est immigrée, ce qui représente une ponction considérable mais constitue 5,3 millions de dollars de transferts de fonds des étrangers, soit 8,2 % du PNB. On distingue deux catégories : les *sea-based*, marins à bas salaires sur les grands cargos pétroliers, et les *land based*, salariés sous contrat à terme (600 000 par an). L'émigration d'infirmières et professions de santé est très importante. L'émigration est, pour l'essentiel, l'affaire du Grand Manille et de sa vaste zone d'influence métropolitaine.

"

1 Philippin sur 11 est un migrant international. Un tiers vit au Moyen-Orient et en Asie, un tiers aux États-Unis et un tiers en Europe (Italie notamment).

"

Japon, Corée, Taiwan, Hongkong, Singapour

LE JAPON. Avec 1 780 000 étrangers en 2003, soit 1,4 % de la population totale et environ 250 000 irréguliers, le Japon connaît une augmentation des flux d'entrées. Depuis 2001, le gouvernement cherche à faciliter l'immigration hautement qualifiée. Il a reconnu le droit d'asile, tout en maintenant des réserves à l'encontre des travailleurs non qualifiés et en renforçant la lutte contre l'immigration illégale. Près de 50 % des nouveaux immigrés viennent d'Asie (Chinois, Coréens, Vietnamiens, Cambodgiens et Moyen-Orientaux), 18 % d'Amérique du Nord et 17 % d'Europe. Il s'y ajoute le retour des Japonais d'Amérique latine (Brésil, Pérou), les *Nikkeijins*. Le Japon continue à vivre dans le mythe de l'homogénéité ethnique tout en s'intéressant aux politiques européennes d'intégration, d'accès aux droits politiques et à la citoyenneté des étrangers.

LA CORÉE. Avec 5 millions d'entrants en 2001 et 5,7 millions de sortants, la Corée est devenue un pays d'immigration. On estime à 340 000 le nombre d'étrangers en situation irrégulière. Une régularisation est survenue en 2002, accompagnée d'une lutte contre l'immigration clandestine. Les Chinois de Taipei sont les plus nombreux. Des Nord-Coréens, fuyant, au moment de la guerre froide, vers la Corée du Sud, ont émigré vers le Japon et les États-Unis.

SINGAPOUR, HONGKONG. Singapour est, comme Hongkong, très dépendant de l'emploi étranger (10 %), sans atteindre les chiffres de Brunei (40 %). Il est ouvertement pluri-ethnique, comme la Malaisie.

LES IMMIGRÉS AU JAPON

1 778 500 personnes, 1,4 % de la population japonaise totale

Quel statut ont-ils ?...
(en milliers, en 2001)

Étudiants travaillant à temps partiel 37,8

Travailleurs étrangers avec une autorisation de travail 168,8

Autres

Résidents à long terme 531,9

Résidents permanents 684,9

d'où viennent-ils ?...
(en milliers et en %, en 2001)

Pérou 50 2,8 %

Brésil 266 15 %

Philippines 156,7 8,8 %

Autres

Taiwan et Chine 381,2 21,4 %

Corée 632,4 35,5 %

Sources : Sopemi 2003, ministères de la Justice et des Affaires étrangères du Japon.

Vietnam

Depuis la prise du pouvoir par les communistes au Vietnam en 1975, outre le cortège de réfugiés produit par la guerre, comme au Cambodge avec le régime des Khmers rouges, plus d'un million de vietnamiens se sont installés sur les hauts plateaux du Centre pour y développer de nouvelles zones économiques et cultiver de nouvelles productions commerciales comme le café.

LES PHILIPPINES : TRANSFERTS DE FONDS CONTRE MAIN-D'ŒUVRE

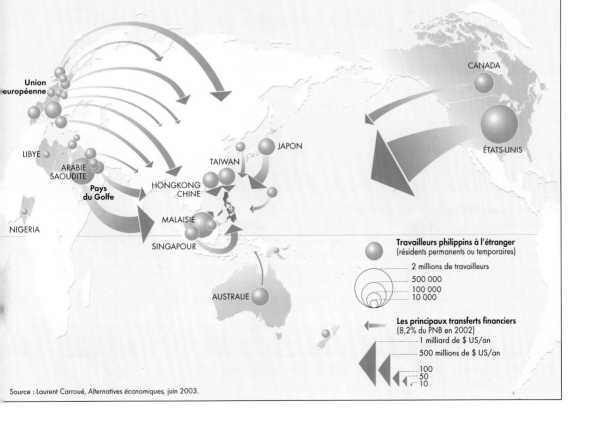

Union européenne

CANADA

LIBYE

ARABIE SAOUDITE

Pays du Golfe

JAPON

TAIWAN

HONGKONG CHINE

ÉTATS-UNIS

NIGERIA

MALAISIE

SINGAPOUR

AUSTRALIE

Travailleurs philippins à l'étranger
(résidents permanents ou temporaires)

2 millions de travailleurs
500 000
100 000
10 000

Les principaux transferts financiers
(8,2 % du PNB en 2002)

1 milliard de $ US/an
500 millions de $ US/an
100
50
10

Source : Laurent Carroué, *Alternatives économiques*, juin 2003.

*Dans ce pays
considéré comme
terre d'immigration par
excellence, où la naissance
sur le sol américain
confère la citoyenneté
américaine, on mesure
le phénomène migratoire
à partir de la population
née à l'étranger et installée
aux États-Unis, possédant
la nationalité d'origine ou
devenue américaine. Mais
ce n'est que relativement
tardivement, au cours
du XIXᵉ siècle, que les
États-Unis se sont pensés
comme nation d'immigrés,
car ce pays a toujours
douté de ses capacités
d'assimilation, depuis
Benjamin Franklin
lui-même. Le débat
sur l'identité américaine
continue : du melpting pot
au salad bowl.*

Les vagues d'avant 1920

La grande période migratoire se situe entre 1850 et 1924, date du coup d'arrê
porté à l'immigration massive, qui passe de 1 million d'immigrés par an à
150 000 migrants annuels, à cause de la crise économique et morale.

LES AMÉRINDIENS ET LES NOIRS. La population blanche, anglo-saxonne et protestante
(Wasp) a assuré sa suprématie pendant la période coloniale, à la fois sur les
Amérindiens peu à peu décimés par le massacre des bisons, leur principale res
source, par les Blancs, et réduits à vivre dans des réserves, et sur les esclaves
africains acheminés du XVIIᵉ au XIXᵉ siècle pour travailler dans les plantations du
sud, jusqu'à l'abolition de l'esclavage en 1865.

LES ASIATIQUES ET LES LATINOS. Une immigration asiatique, d'abord chinoise, est arri
vée dans les années 1850, attirée vers les mines de Californie, puis elle a été dis
persée pour construire le chemin de fer de l'Ouest. Concurrencée par les Blancs
elle a dû ensuite se contenter de faire le travail des femmes, absentes en ces lieux
la lessive et la cuisine. Mais en 1886, la perception d'un « péril jaune » conduit à
empêcher l'immigration des « coolies » pendant dix ans, remplacés, au tournant du
siècle, par les Mexicains et les personnes originaires des Caraïbes, notamment
pendant la Première Guerre mondiale.

L'ENNEMI INTÉRIEUR. De leur côté, les Noirs migrent vers les grandes villes indus
trielles du nord et de l'ouest du pays. Un autre péril, rouge, est redouté : les bol
cheviques et autres activistes russes, de même que tous ceux qui, parmi les
immigrés venant d'Europe de l'Est et du Sud, étaient considérés comme suscep
tibles de devenir une charge pour la nation : les « LPC » (*liable to become a public
charge*). Un tri s'effectuait dès l'arrivée des bateaux dans le port de New York, su
l'île d'Ellis Island.

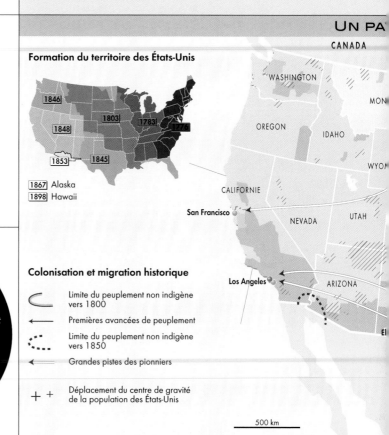

UN PA

> **"**
> *La devise « e pluribus
> unum » qui figure sur
> le dollar est empruntée
> à un poème de Virgile
> (« Moretum », Énéide), décrivant
> les éléments qui se fondent
> dans la composition d'un
> fromage aux herbes.*
> cf. DENIS LACORNE, *LA CRISE
> DE L'IDENTITÉ AMÉRICAINE*,
> PARIS, FAYARD, 1995.
> **"**

Formation du territoire des États-Unis

1846
1803
1783
1774
1848
1853
1845

1867 Alaska
1898 Hawaii

Colonisation et migration historique

⟨ Limite du peuplement non indigène
vers 1800

← Premières avancées de peuplement

⟨···· Limite du peuplement non indigène
vers 1850

← Grandes pistes des pionniers

+ + Déplacement du centre de gravité
de la population des États-Unis

500 km

IGRATIONS

XXᵉ siècle : l'immigration devient une question politique

La fermeture de l'immigration des années 1920 institutionnalise la « porte de service » comme caractéristique de la politique d'immigration américaine. Un système d'immigration temporaire est mis en place en 1940, le *Bracero Program* avec les Mexicains, auquel il sera mis fin en 1965.

LES QUOTAS. La physionomie actuelle de l'immigration américaine est le fruit à la fois de l'élimination, en 1968, de la prohibition de l'immigration asiatique et de l'établissement d'un quota annuel de 170 000 personnes par an pour le monde non-américain (Europe, Asie, Afrique), sans considération de l'origine nationale, avec un maximum de 20 000 personnes par pays et une priorité à l'immigration de regroupement familial et à l'asile (notamment les *boat people* vietnamiens à la fin des années 1970). Cela va conduire à accroître l'immigration des « Latinos » et des Asiatiques.

L'IMMIGRATION CLANDESTINE. Le souci de combattre l'immigration clandestine est allé croissant : une loi de 1986 (Simpson-Mazzoli) sanctionne les employeurs et régularise les clandestins, tandis que le rêve américain de l'incorporation des immigrés est largement laissé aux lois du marché.

INTÉGRATION ET COMMUNAUTARISME. Le gouvernement a cependant facilité leur accès à la citoyenneté (les Portoricains en 1917) et l'école obligatoire a permis de transmettre la langue et les valeurs américaines. Le mouvement des droits civiques des années 1950 et 1960 a contribué, de son côté, à l'apparition d'une classe moyenne noire et a changé les stéréotypes dans les médias. La ghettoïsation ethnique des quartiers et les écarts socio-économiques extrêmes sont pourtant préoccupants et conduisent à des explosions de violence (comme à Los Angeles en 1992).

ÇONNÉ PAR SES MIGRATIONS

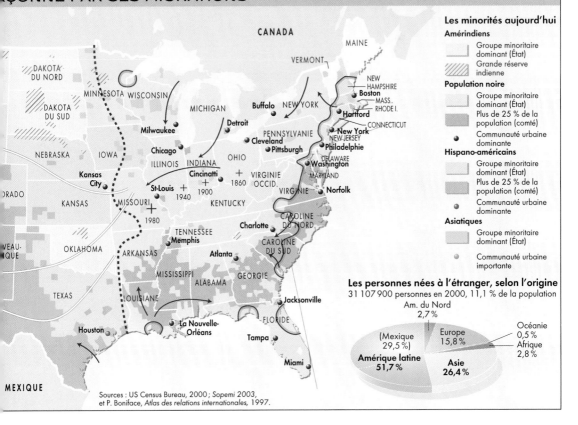

Sources : US Census Bureau, 2000 ; Sopemi 2003,
et P. Boniface, *Atlas des relations internationales*, 1997.

L'assimilation ou le multiculturalisme

Le débat sur la contribution de l'immigration à la définition de l'identité nationale continue à opposer les assimilationnistes aux multiculturalistes. Dès la fin de la guerre de Sécession (1865), le nativisme, inspiré du darwinisme social, a conduit à une racialisation des non-Blancs par laquelle les Blancs voulaient se protéger des races dites « inférieures ». La peur de l'invasion « jaune » se répand. L'immigration asiatique est bannie de 1920 à 1960.

MELTING POT ET SALAD BOWL. Mais l'imaginaire américain qui est resté le plus tenace est celui du *melting pot*, cher aux assimilationnistes, lancé par une pièce de théâtre en 1908, et symbolisé par Ellis Island, la statue de la liberté et la devise du dollar « *e pluribus unum* ». Certains lui opposent aujourd'hui le *salad bowl*, le saladier, image du multiculturalisme issu du mouvement des droits civiques des années 1960 (« *Black is beautiful* ») et de la très libérale loi sur l'immigration de 1965. Une politique de traitement préférentiel permet aux minorités les plus discriminées d'éviter l'exclusion totale.

UN NOUVEL ENNEMI INTÉRIEUR : L'ISLAM. Mais un sentiment de perte de confiance dans le système intégrateur américain s'est fait jour. Dans *Le choc des civilisations* (1996), Samuel Huntington considère que l'immigration (et l'islam) défient l'identité collective, la sécurité et la culture américaines. Le 11 septembre 2001 a introduit une brèche dans un processus d'assimilation déjà en retrait, même si l'histoire du « vivre ensemble » est plus positive que dans beaucoup d'autres pays d'immigration : les immigrés deviennent aux États-Unis des citoyens actifs plus vite que partout ailleurs dans le monde, grâce à un droit du sol absolu.

> ❝
> *Donnez-moi vos masses épuisées, pauvres regroupées, désireuses de respirer libres, le dépotoir misérable de votre rivage grouillant.*
>
> EMMA LAZARUS, VERS 1883, CITÉE PAR ARISTIDE ZOLBERG, *ESCAPE FROM VIOLENCE*, OXFORD UP, 1989.
> ❞

LA LONGUE FRONTIÈRE AMÉRICANO-MEXICAINE

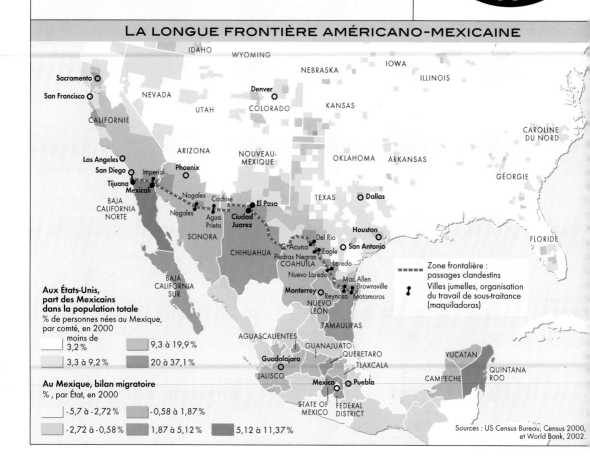

Aux États-Unis, part des Mexicains dans la population totale
% de personnes nées au Mexique, par comté, en 2000

- moins de 3,2 %
- 3,3 à 9,2 %
- 9,3 à 19,9 %
- 20 à 37,1 %

Au Mexique, bilan migratoire
% , par État, en 2000

- -5,7 à -2,72 %
- -2,72 à -0,58 %
- -0,58 à 1,87 %
- 1,87 à 5,12 %
- 5,12 à 11,37 %

Zone frontalière : passages clandestins

Villes jumelles, organisation du travail de sous-traitance (maquiladoras)

Sources : US Census Bureau, Census 2000, et World Bank, 2002.

ATION OU MULTICULTURALISME

LA MOSAÏQUE ETHNIQUE DE LOS ANGELES

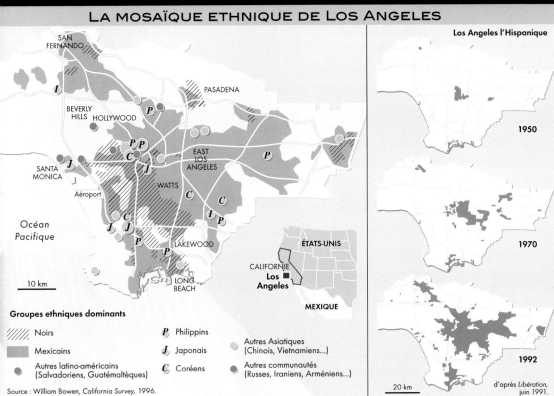

Los Angeles l'Hispanique

1950

1970

1992

*d'après Libération,
juin 1991.*

Groupes ethniques dominants

///// Noirs

▓ Mexicains

● Autres latino-américains
(Salvadoriens, Guatémaltèques)

P Philippins

J Japonais

C Coréens

● Autres Asiatiques
(Chinois, Vietnamiens...)

● Autres communautés
(Russes, Iraniens, Arméniens...)

Source : William Bowen, *California Survey*, 1996.

LES MINORITÉS ETHNIQUES. Au recensement de 2000, 28,4 millions (10 %) de personnes aux États-Unis étaient nées étrangères, contre 4,8 % en 1970 (mais 14,7 % en 1910). Six États (Californie, New York, Floride, Texas, New Jersey et Illinois) reçoivent les deux tiers de tous les migrants. Les minorités ethniques constituent aujourd'hui un quart de la population américaine et le nombre des Hispaniques (12,5 %), descendants des Mexicains absorbés par l'expansion américaine dans les États du Sud-Ouest et des récents immigrés d'Amérique latine excède aujourd'hui le nombre des Afro-Américains (12,3 % en 2000). Les Asiatiques, dont le nombre a crû rapidement, ont des niveaux d'éducation et d'emploi élevés.

POLITIQUES D'ADMISSION. Chaque année, le Congrès vote le nombre d'immigrés admis sur le sol américain. Sur un total d'un million d'entrées de migrants permanents en 2001, 63 % ont été introduits au titre du regroupement familial (675 000), 17 % aux fins d'emploi (17 000) et 10 % (108 000) comme réfugiés. Il faut y ajouter une immigration temporaire (2 948 000 en 2001), notamment d'étudiants, d'experts et les clandestins, dont on estime que le nombre a doublé entre 1990 et 2000 (3 millions ont été régularisés en 1996). Réfugiés et demandeurs d'asile sont, eux aussi, soumis à des plafonds d'admission par région géographique.

DEPUIS LE 11 SEPTEMBRE 2001. À la veille du 11 septembre 2001, la possibilité pour les Mexicains de postuler à un emploi légal aux États-Unis semblait connaître une embellie. Mais le terrorisme a mis fin à la lune de miel entre le Mexique et les États-Unis, où l'Alena aurait pu devenir le cadre d'une intégration régionale : le renforcement des contrôles aux frontières s'est durci ainsi que la politique des visas et que les mesures de lutte contre le terrorisme. Une nouvelle loi de 2002 autorise cependant les multinationales à muter leurs employés aux États-Unis au bout de six mois de travail au lieu d'un an. Mais la part de l'État reste faible dans la maîtrise des mouvements de population.

DESTINATIONS ACTUELLES AUX ÉTATS-UNIS

Les États qui accueillent les deux tiers des immigrants aux États-Unis aujourd'hui

NEW YORK

NEW JERSEY

CALIFORNIE

ILLINOIS

TEXAS

FLORIDE

Comme les États-Unis, le Canada est un pays de droit du sol, une société de settlers (colons) où l'immigration a été encouragée par une politique volontariste qui en a fait un instrument de l'identité nationale. L'appréciation des migrations s'effectue également d'après la population née à l'étranger et installée sur son sol, possédant ou non la nationalité d'origine ou celle du Canada.

L'accueil des réfugiés

Le Canada est un grand pays d'accueil pour les réfugiés : fin 2002, avait accueilli 78 500 réfugiés et de mandeurs d'asile. Durant cette année là, sur 33 400 demandes, les pays d provenance sont le Pakistan, l Colombie, le Mexique, la Chine et l Sri Lanka ; 15 200 ont été acceptées.

MIGRATIONS VERS LE CANADA ET LE QUÉBEC

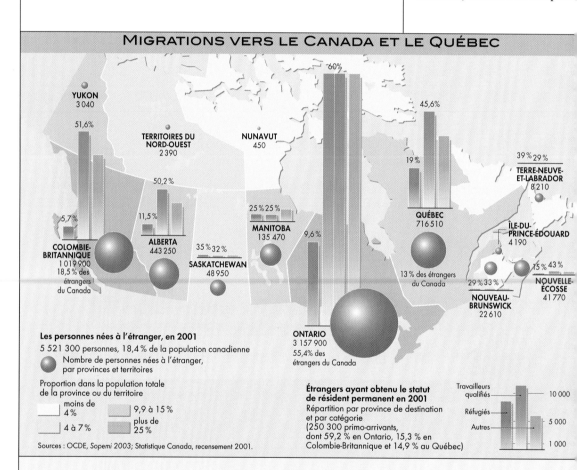

Les personnes nées à l'étranger, en 2001
5 521 300 personnes, 18,4 % de la population canadienne
Nombre de personnes nées à l'étranger, par provinces et territoires

Proportion dans la population totale de la province ou du territoire
- moins de 4 %
- 4 à 7 %
- 9,9 à 15 %
- plus de 25 %

Sources : OCDE, Sopemi 2003; Statistique Canada, recensement 2001.

Étrangers ayant obtenu le statut de résident permanent en 2001
Répartition par province de destination et par catégorie
(250 300 primo-arrivants, dont 59,2 % en Ontario, 15,3 % en Colombie-Britannique et 14,9 % au Québec)

Travailleurs qualifiés — 10 000
Réfugiés — 5 000
Autres — 1 000

La politique d'immigration au Canada

La première loi sur l'immigration date de 1869. Jusqu'en 1962, la politique sélective du pays mettait en avant l'origine nationale, c'est-à-dire la culture anglo-saxonne, excluant les non-Européens. À partir de 1962, les critères d'éducation, de compétence en fonction des potentialités d'insertion économique ont supplanté les critères culturels, au nom de l'antidiscrimination. L'immigration permanente y est la norme.

LE RECRUTEMENT D'IMMIGRÉS QUALIFIÉS. Comme aux États-Unis, les quotas d'entrées annuelles font l'objet d'un vote (225 000 en 2004), mais la politique de recrutement est davantage orientée vers la recherche de compétences, créant une compétition sur le marché du travail (selon un système de préférence nationale à l'emploi), doublée de considérations humanitaires. Un programme temporaire s'appuie sur des tests ciblés

sur l'état du marché du travail. La mig tion étudiante est également considé comme une source d'entrants qualifi car le pays perd une part de ses migra de haut niveau au profit des États-Uni **LE CAS PARTICULIER DE QUÉBEC.** Aujourd'h la politique d'immigration est deve bicéphale, le Québec s'étant orienté, a un siècle de retard sur le Canada, v une politique volontariste de l'immig tion (la première loi sur l'immigrat

QUÉBEC : RÉGIONS DE DESTINATION

Répartition des immigrés au Québec selon la région projetée, 1993-2002

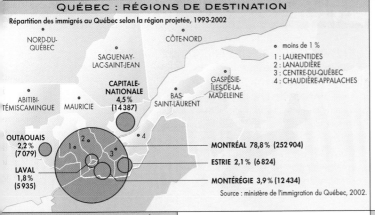

NORD-DU-QUÉBEC

CÔTE-NORD

SAGUENAY-LAC-SAINT-JEAN

GASPÉSIE-ÎLES-DE-LA-MADELEINE

CAPITALE-NATIONALE
4,5 %
(14 387)

BAS-SAINT-LAURENT

ABITIBI-TÉMISCAMINGUE   MAURICIE

OUTAOUAIS
2,2 %
(7 079)

LAVAL
1,8 %
(5 935)

- moins de 1 %
1 : LAURENTIDES
2 : LANAUDIÈRE
3 : CENTRE-DU-QUÉBEC
4 : CHAUDIÈRE-APPALACHES

MONTRÉAL 78,8 % (252 904)

ESTRIE 2,1 % (6 824)

MONTÉRÉGIE 3,9 % (12 434)

Source : ministère de l'immigration du Québec, 2002.

« Le multiculturalisme s'est inscrit dans un débat plus large sur la nature de l'État canadien et sur le refus de le reconnaître comme multinational. »

DES IMMIGRÉS QUALIFIÉS

Niveaux de compétence selon la catégorie, 1993-2002

- Cadres et experts
- Techniciens
- Professions intermédiaires
- Ouvriers
- Autres

Immigration économique

,5 %
10,5 %
26,1 %   25,5 %
46,4 %

Regroupement familial

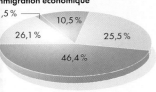
67 %
9,4 %
11,7 %   4,8 %
7,1 %

Réfugiés et demandeurs d'asile

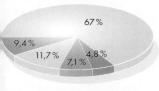
75,1 %
6,2 %
8,7 %   4,1 %
5,9 %

Source : ministère des Relations avec les citoyens, 2003.

Diversité culturelle plus que multiculturalisme

Malgré la perception dans l'opinion publique qu'il y a trop d'immigrants, trop de diversité, que les migrants coûtent trop cher à la société, le Canada poursuit une politique de « vivre ensemble », fondée sur la diversité des communautés mais aussi sur la participation complète à la vie de la cité, grâce à une forte insertion sur le marché du travail.

Entre 1999 et 2001, l'immigration totale a progressé de 32 %. Une nouvelle loi sur l'immigration et l'asile (2002) renforce les droits des « résidents permanents ». On utilise aujourd'hui plus volontiers le terme de diversité culturelle que celui de multiculturalisme. En effet, la diversité est plurielle, introduite par l'immigration, par la culture anglo-saxonne et francophone (24 %), et par les aborigènes (de 2 à 3 % de la population).

Au Québec, le 11 septembre 2001 a provoqué un déclin de l'intérêt pour la population maghrébine qualifiée, hier hautement prisée.

IMMIGRÉS AU CANADA

Effectifs de personnes nées à l'étranger par pays de naissance
(en milliers, en 2001)

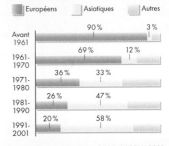

Pologne, Allemagne, Portugal, ex-Yougoslavie...
Europe 2 287

Autres

États-Unis 238

Asie 1 989

Vietnam 148

Philippines 232

Inde 315

Italie 315,5

Royaume-Uni 606

Chine et Hongkong 568

Variation des origines des immigrants au Canada depuis 1961

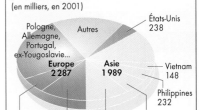

- Européens
- Asiatiques
- Autres

	Européens	Asiatiques	Autres
Avant 1961	90 %		3 %
1961-1970	69 %		12 %
1971-1980	36 %	33 %	
1981-1990	26 %	47 %	
1991-2001	20 %	58 %	

Sources : OCDE, SOPEMI 2003 ;
Rapport annuel au Parlement sur l'immigration, 2002.

te de 1971), privilégiant la francophonie mais aussi la qualification. Aujourd'hui, le Québec représente 24 % de la population canadienne. Il a accueilli en priorité, entre 1993 et 2002, des Français, des Chinois, des Algériens, des Haïtiens, des Marocains, des Roumains – par ordre d'importance décroissant –, alors que le Canada a accueilli en priorité des Asiatiques (Chinois, Indiens, Philippins, Iraniens, Pakistanais, Coréens).

LA RÉGION DE NAISSANCE DES IMMIGRÉS AU QUÉBEC

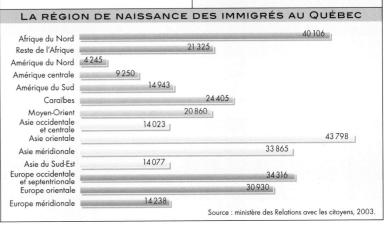

Région	Effectif
Afrique du Nord	40 106
Reste de l'Afrique	21 325
Amérique du Nord	4 245
Amérique centrale	9 250
Amérique du Sud	14 943
Caraïbes	24 405
Moyen-Orient	20 860
Asie occidentale et centrale	14 023
Asie orientale	43 798
Asie méridionale	33 865
Asie du Sud-Est	14 077
Europe occidentale et septentrionale	34 316
Europe orientale	30 930
Europe méridionale	14 238

Source : ministère des Relations avec les citoyens, 2003.

En trente ans, 18 millions de personnes ont migré vers les États-Unis. Malgré les tentatives de développer le commerce (trade versus migration), on n'a pas réussi en dix ans à inverser la tendance. Le cône sud est constitué de sociétés d'origine européenne ou de descendants d'esclaves. Il fut une terre d'immigration jusqu'aux années 1930, et le Brésil a même accueilli des travailleurs japonais jusqu'aux années 1950. L'Amérique centrale et la région andine ont une population indienne et de mestizos. Les Caraïbes, enfin, mêlent des Asiatiques, des Européens et une large part de personnes originaires d'Afrique.

Plusieurs mouvements migratoires

• Vers l'Amérique du Nord (États-Unis, Canada) : Mexicains, Cubains, Salvadoriens, Jamaïcains, Haïtiens.

• En Amérique centrale et dans les Caraïbes ainsi que dans la région andine entre pays de la même zone (Nicaraguayens au Costa Rica, Salvadoriens au Guatemala, Guatémaltèques au Mexique, Colombiens au Venezuela et Vénézuéliens en Colombie, Équatoriens et Péruviens vers l'Europe (Espagne).

• Dans le cône sud (Argentine, Brésil, Chili, Paraguay et Uruguay), où l'Argentine, après avoir été longtemps ouverte à l'immigration, a régularisé les clandestins. Le Brésil, autre grand pays d'accueil, compte environ un million d'étrangers. Au Paraguay, près de la moitié des étrangers sont des Brésiliens.

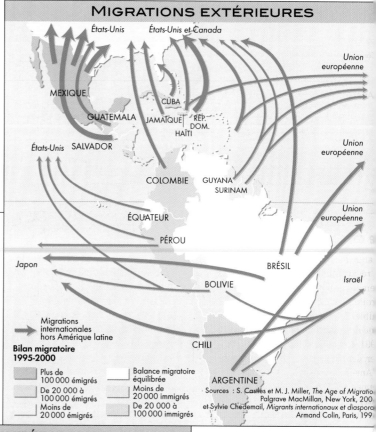

MIGRATIONS EXTÉRIEURES

Sources : S. Castles et M. J. Miller, *The Age of Migration*, Palgrave MacMillan, New York, 200.
et Sylvie Chedemail, *Migrants internationaux et diaspora*, Armand Colin, Paris, 199.

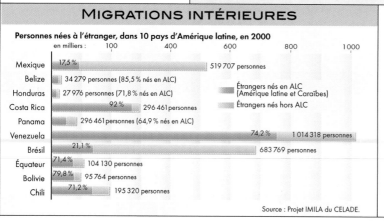

MIGRATIONS INTÉRIEURES

Personnes nées à l'étranger, dans 10 pays d'Amérique latine, en 2000

Source : Projet IMILA du CELADE.

Depuis vingt ans, l'Amérique latine est le théâtre d'intenses migrations, internes, externes et croisées. Certains pays d'accueil sont devenus pays de départ et vice versa.

NT SUD-AMÉRICAIN

LE BRASIGUAY : LA FRONTIÈRE N'A PLUS DE SENS

Le front pionnier brasiguayen, dans la zone frontalière entre le Brésil et le Paraguay, montre le peu d'importance réelle des frontières devant la force du mouvement migratoire aux fins d'emploi. Dans les années 1960, le Paraguay a procédé à une colonisation spontanée de son territoire en direction de la frontière brésilienne. À l'instar de la réforme agraire brésilienne, des parcelles de 20 à 30 hectares de terres sont distribuées à près de 100 000 pionniers dans l'Oriente paraguayen. Il s'agissait aussi de limiter le grignotage aux frontières des colons brésiliens. Le mouvement a repris de la fin des années 1970 à nos jours, les pionniers brésiliens occupant les riches terres du Paraguay (ils étaient plus de 50 000 en 2000), ce qui a permis au Paraguay de développer l'Oriente et de se hisser à la quatrième place mondiale des producteurs de soja.

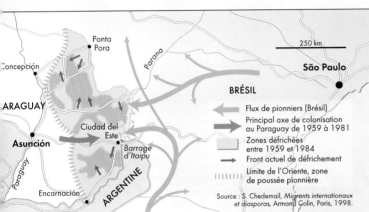

Source : S. Chedemail, *Migrants internationaux et diasporas*, Armand Colin, Paris, 1998.

La région andine

La région est en proie à de nombreux troubles : conflits armés, tentatives de coups d'État, trafics de drogue, guérillas qui déstabilisent et souvent déplacent les populations.

L'entité la plus dynamique de la région est le Venezuela, qui attire encore des migrants européens. Presque 5 % de sa population est d'ailleurs née à l'étranger. Le boom pétrolier des années 1980 et les crises des États du cône sud expliquent ce « miracle migratoire ».

La Colombie, malgré les Forces armées révolutionnaires de Colombie (Farc), accueille 40 % des émigrés de la région, pour l'essentiel des Vénézuéliens et des Américains. 40 000 immigrés colombiens sont enfin présents en Équateur. Ceux qui quittent la région sont principalement les Péruviens dont 600 000 en dix ans ont pris le chemin de l'Europe, des États-Unis et du Japon.

e cône sud

algré la crise argentine, les pays de région ont des niveaux de développement relativement élevés et une roissance démographique assez ible. Récemment encore, l'Argene demeurait un pays d'accueil : en 991, 1,6 million étaient nés à l'étran-r, dont la moitié dans un autre pays Amérique latine. Mais ces migrants eunes, faiblement scolarisés, ont une tégration précaire du fait d'un taux e chômage de 18 % fin 2001.

e Brésil, second pays d'accueil de la égion, connaît une migration interne ui circule entre Brésil et Paraguay, hili et Argentine, selon un système ssez équilibré de vases communiants : 100 000 Brésiliens au Paraguay, 20 000 Paraguayens au Bré-il, 200 000 Chiliens en Argentine, 5 000 Argentins au Chili au début des nnées 2000… L'émigration externe e développe principalement vers Amérique du Nord, et pour le Chili t l'Argentine, également vers l'Union uropéenne.

MIGRATIONS INTÉRIEURES

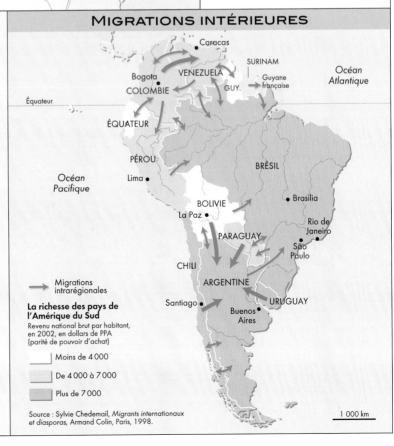

Source : Sylvie Chedemail, *Migrants internationaux et diasporas*, Armand Colin, Paris, 1998.

CARAÏBES, CUBA, HAÏTI

ÉTATS-UNIS

En Floride, plus de 50 % de la population étrangère est née à Cuba

Pays où les moins de 15 ans représentent plus de 35 % de la population totale

Pays dont la population émigrée est supérieure à 5 % de la population totale

États-Unis et Canada

Océan Atlantique

Union européenne : Royaume-Uni, France, Espagne

États-Unis et Canada

Tropique du Cancer

BAHAMAS

MEXIQUE

CUBA

Porto Rico (É.-U.)

HAÏTI

BELIZE

JAMAÏQUE

RÉP. DOMINICAINE

Pays-Bas

France

HONDURAS

GUAT.

SALVADOR NICARAGUA

Mer des Caraïbes

Roy.-Uni

COSTA RICA

500 km

PANAMA

TRINITÉ-ET-TOBAGO

VENEZUELA

1 : ST-KITTS ET NEVIS
2 : ANTIGUA ET BARBUDA
3 : DOMINIQUE
4 : STE-LUCIE
5 : ST-VINCENT
6 : BARBADE
7 : GRENADE

COLOMBIE

GUYANA
SURINAM Guy. fr.

Comme disent les Chicanos : « Ce n'est pas nous qui traversons la frontière, c'est la frontière qui nous traverse. »

L'Amérique latine : de nouvelles mobilités

L'Amérique latine a connu ces dernières années une forte mobilité, mal maîtrisée, par les pays d'accueil et un changement de la nature des tendances migratoires : migration interne (au Brésil), internationale (Colombiens et Péruviens vers le Costa Rica, le Venezuela et le Paraguay, Nicaraguayens et Guatémaltèques vers le Mexique) et émigration vers l'extérieur (Mexicains et Caraïbéens vers les États-Unis). Les pays qui présentent le plus fort nombre de départs sont le Mexique, Cuba et la Colombie. Les guérillas, les mouvements de réfugiés (entre Mexique, Honduras, Guatemala et Costa Rica), les migrations de retour (*Nikkeijins* du Brésil retournant au Japon, où ils bénéficient de la préférence ethnique et de programmes spécifiques du gouvernement japonais et, à l'inverse, Chiliens rentrés au Chili) viennent ajouter à la diversité de types de migrations (voir aussi p. 52-53).

TRAITÉS. Des traités sont venus consacrer l'intégration régionale (pacte andin, marché commun centraméricain, Mercosur associant l'Argentine, le Brésil, le Paraguay et l'Uruguay entré en vigueur en 1995), mais les diversités de situation entre les pays expliquent la poursuite de la mobilité, même si elle demeure faible à l'intérieur des Amériques (2,5 % de la population latino-américaine et 9,2 % des migrants dans le monde).

INVERSION DES COURANTS MIGRATOIRES. Le phénomène récent le plus marquant est l'inversion des courants traditionnels de migration : chute de l'immigration européenne et asiatique vers l'Argentine, le Venezuela et le Brésil et augmentation de l'immigration latino-américaine vers le Venezuela, le Costa Rica, le Paraguay et le Mexique. Au Brésil, longtemps considéré comme un pays d'immigration exclusivement et confronté à une forte précarisation du marché du travail, la population migre vers l'extérieur – Paraguay, Portugal, Japon.

Les Caraïbes

Les quinze pays indépendants des Caraïbes connaissent un taux d'émigration très élevé par rapport à leur population. Cuba a perdu près d'un million de personnes vers les États-Unis (750 000 étaient recensés en 1990 aux États-Unis). Il existe également des travailleurs internes à la région comme ces travailleurs haïtiens, les *braceros*, employés dans les plantations de canne à sucre de la République dominicaine.

E CENTRALE ET CARAÏBES

Le Mexique

Premier foyer de migration mondial, des kilomètres de frontières avec les États-Unis (voir aussi p. 56-57) : il a signé des accords de réadmission des clandestins avec les États-Unis en mars 2001 et coopère au contrôle des frontières avec les États-Unis. Pour endiguer les flux clandestins, des entreprises américaines se sont implantées le long de la frontière mexicaine pour retenir sur place les candidats potentiels à la migration.

ZONE CHARNIÈRE. Mais le phénomène de ces *maquiladoras* n'a pas interrompu l'élan migratoire vers l'autre rive du Rio Grande, et le pays se présente en outre de plus en plus comme un pôle récepteur (1 315 permis de séjour permanent délivrés en 2001), même s'il s'agit bien souvent de migrations de transit vers les États-Unis, le rêve américain. Le processus de Puebla, suite à la conférence qui s'est tenue en ce lieu en 1996, est devenu une concertation permanente à laquelle participent, outre les États-Unis et le Canada, onze pays d'Amérique latine.

LIBRE CIRCULATION ? On est encore loin de la libre circulation intérieure en Amérique latine, rêvée par l'homme d'État vénézuelien Simon Bolivar (1783-1830). Quant aux effets de la libre circulation des marchandises nord-américaine, entre Mexique, États-Unis et Canada (Alena ou, en anglais, Nafta), la plupart des experts pensent que l'accord a eu peu d'effets sur la diminution des mouvements migratoires, même si les retombées sur la libre circulation des hommes ne faisait pas partie des clauses de l'accord, à la différence du processus euro-méditerranéen de Barcelone.

MIGRATIONS AU MEXIQUE

Population née à l'étranger, par région d'origine

Personnes résidant au Mexique en 2000

Amérique du Nord 63,2 %
Caraïbes 2,4 %
Am. centrale 11,2 %
Autres 0,8 %
Amér. du Sud 7,3 %
Afrique 0,2 %
Asie 2,9 %
Europe 11,9 %

Sources : OCDE, Sopemi 2003.

INSTABILITÉS DE L'AMÉRIQUE CENTRALE

* « Points chauds » des années 1990 et 2000 (guerre civile, coup d'État, séparatisme)

▬ Zone de risques sismiques (tremblements de terre, tsunamis)

▲ Principaux volcans actifs

← Principales trajectoires des cyclones

■ Grandes villes les plus menacées

500 km

L'Amérique centrale

En Amérique centrale, ce sont les guerres civiles et l'instabilité des gouvernements qui ont guidé les mouvements migratoires. Le Costa Rica à lui seul attire beaucoup de migrants car il offre le plus haut niveau de développement relatif. 45 000 natifs du Nicaragua et 10 000 du Salvador y vivent actuellement. La situation est d'ailleurs plus critique pour ces pays, ainsi que pour le Guatemala et le Honduras qui ont subi des flux et reflux migratoires en fonction de l'état des troubles dans leur pays. 500 000 Salvadoriens, 225 000 Guatémaltèques et 170 000 Nicaraguayens ont ainsi demandé l'asile aux États-Unis depuis dix ans. Dans cette région agitée, les catastrophes naturelles sont aussi un facteur de migrations.

L'AUSTRALIE ET SES VOISINS

L'Australie est considérée comme un pays d'immigration emblématique. Terre colonisée du Nouveau Monde, elle s'est construite par ses vagues successives d'immigrants puis par une politique de quotas. Elle manifeste aujourd'hui un rejet envers les boat people et réfugiés d'Asie.

Réfugiés et demandeurs d'asile, par région d'origine
début 2003

Source : US Committee for Refugees, 2003

Une histoire au carrefour du monde

L'Australie devient, à partir de 1788, une colonie pénitentiaire de peuplement. Y débarquent par vagues successives des forçats britanniques qui défrichent les terres et construisent des routes, une population féminine de condamnées et de prostituées destinées à devenir les épouses des forçats (*convicts*) qui, au bout de sept ans, reçoivent une terre.

LA SOCIÉTÉ BLANCHE ET BRITANNIQUE. Cette société blanche, très liée à l'Angleterre, puis à l'empire britannique, s'est constituée par la marginalisation (et parfois la chasse) des aborigènes et des autres insulaires, dont le nombre passe de 500 000 environ en 1788 à 50 000 à la fin du XIXᵉ siècle. Des colons anglais et irlandais s'installent ensuite pour exploiter les matières premières, produire de la laine et du blé.

DES NON-EUROPÉENS. Avec la ruée vers l'or des années 1850, arrivent des émigrants grecs et italiens mais aussi non-européens, tandis que, dans les plantations de canne à sucre, les indigènes des îles du Pacifique constituent une main-d'œuvre bon marché. La peur du péril jaune, la montée du racisme et du nationalisme autour de la nouvelle identité australienne conduisent à exclure les non-Européens à partir de 1901. Cependant, la période 1890-1945 coïncide avec une faible immigration, à cause de la situation économique.

À PARTIR DE 1945. La politique d'immigration change, avec la prise de conscience de besoins démographiques et de main-d'œuvre dans un pays peuplé alors de 7,5 millions d'habitants, résumée par le slogan *« Populate or perish »*. L'Australie recrute des Européens de l'Est, Blancs et anticommunistes, du Sud (Italiens, Grecs, Maltais) et des Scandinaves. Malgré les avantages concédés à l'installation des Britanniques, ceux-ci ne remplissent pas les quotas fixés à 70 000 par an.

NÉCESSAIRE OUVERTURE ? Le pays abandonne, en 1973, son rêve d'une Australie blanche et accepte de nouveaux arrivants d'Amérique latine et d'Asie. De 1947 à 1973, l'immigration est le moteur de la croissance, fournissant 50 % de la force de travail, notamment dans l'industrie, bastion du « travail migrant ».

Population née à l'étranger, par région ou pays d'origine
en 2001

Asie du Sud-Est 12 %
Autres
Reste de l'Europe 19 % (Italie 5 %)
Royaume-Uni 25 %
Nouvelle-Zélande 9 %
Europe du Nord-Ouest 33 %

Source : OCDE, Sopemi 2003

Les 6 nationalités en tête des entrées de migrants permanents, de 1992 à 2002

Nouvelle-Zélande
Royaume-Uni
Chine
Afrique du Sud
Inde
Philippines

en 1992
en 1997
en 2002

Source : ministère de l'Immigration et de Affaires multiculturelles et ethniques, 2002

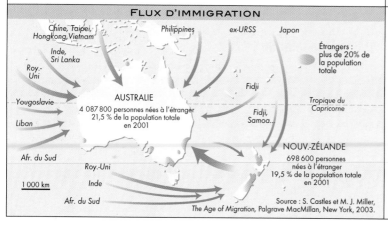

FLUX D'IMMIGRATION

Chine, Taipei, Hongkong, Vietnam
Philippines
ex-URSS
Japon
Inde, Sri Lanka
Roy.-Uni
Yougoslavie
Liban
Afr. du Sud
Roy.-Uni
Inde
Afr. du Sud

AUSTRALIE
4 087 800 personnes nées à l'étranger
21,5 % de la population totale en 2001

Fidji
Fidji, Samoa...

Étrangers : plus de 20% de la population totale

Tropique du Capricorne

NOUV.-ZÉLANDE
698 600 personnes nées à l'étranger
19,5 % de la population totale en 2001

1 000 km

Source : S. Castles et M. J. Miller, *The Age of Migration*, Palgrave MacMillan, New York, 2003.

> **En quarante ans, L'Australie est passée d'une société monoculturelle de culture britannique à l'une des nations les plus [...] diversifiées du monde.**
>
> STEPHEN CASTLES ET JOCK COLLINS, CERI, 1995.

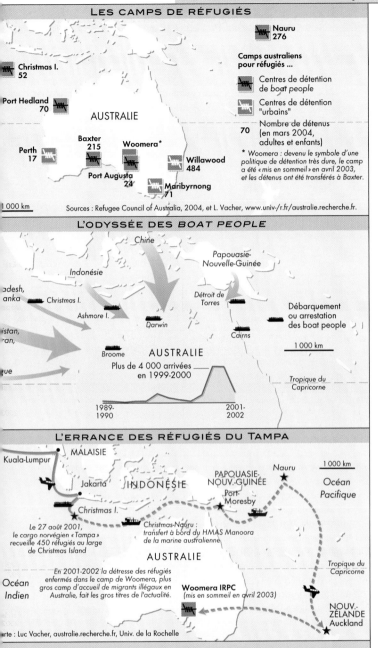

LES CAMPS DE RÉFUGIÉS

Nauru
276

Camps australiens
pour réfugiés ...

Centres de détention
de boat people

Centres de détention
"urbains"

70 Nombre de détenus
(en mars 2004,
adultes et enfants)

Christmas I.
52

Port Hedland
70

AUSTRALIE

Baxter
215

Woomera*

Perth
17

Willawood
484

Port Augusta
24

Maribyrnong
71

* Woomera : devenu le symbole d'une
politique de détention très dure, le camp
a été « mis en sommeil » en avril 2003,
et les détenus ont été transférés à Baxter.

1 000 km

Sources : Refugee Council of Australia, 2004, et L. Vacher, www.univ-/r.fr/australie.recherche.fr.

L'ODYSSÉE DES BOAT PEOPLE

Chine

Papouasie-
Nouvelle-Guinée

Indonésie

adesh,
anka Christmas I.

Détroit de
Torres

Ashmore I.

Darwin

Débarquement
ou arrestation
des boat people

Cairns

1 000 km

istan,
an,

Broome

AUSTRALIE

Plus de 4 000 arrivées
en 1999-2000

ue

Tropique du
Capricorne

1989-
1990

2001-
2002

L'ERRANCE DES RÉFUGIÉS DU TAMPA

Kuala-Lumpur

MALAISIE

Nauru

1 000 km

PAPOUASIE-
NOUV.-GUINÉE

Jakarta

INDONÉSIE

Océan
Pacifique

Port-
Moresby

Christmas I.

Le 27 août 2001,
le cargo norvégien «Tampa»
recueille 450 réfugiés au large
de Christmas Island

Christmas-Nauru :
transfert à bord du HMAS Manoora
de la marine australienne

AUSTRALIE

Océan
Indien

En 2001-2002 la détresse des réfugiés
enfermés dans le camp de Woomera, plus
gros camp d'accueil de migrants illégaux en
Australie, fait les gros titres de l'actualité.

Woomera IRPC
(mis en sommeil en avril 2003)

Tropique du
Capricorne

NOUV.-
ZÉLANDE
Auckland

arte : Luc Vacher, australie.recherche.fr, Univ. de la Rochelle

La Nouvelle-Zélande

La Nouvelle-Zélande est une terre d'immigration, d'installation, avec quelque
50 000 entrées annuelles, en légère diminution aujourd'hui. Le Royaume-Uni et la
Chine sont les deux premiers pays d'origine des migrants, devant les Indiens, les
ressortissants d'Europe de l'Est et d'Afrique du Sud.
Une politique de quotas (catégories « compétences générales » et « affaires ») y est
pratiquée, combinée avec une immigration familiale et « pour raisons humanitaires ». Des visas temporaires sont aussi accordés aux étrangers pour raisons
d'emploi, ainsi qu'un programme d'accueil des jeunes actifs en vacances.

Les politiques
d'immigration

LE MULTICULTURALISME. Tandis que se
poursuit l'immigration familiale,
une politique sélective de quotas
par qualification se met en place.
La politique d'assimilation héritée
de l'Australie blanche est abandonnée à partir des années 1972-1975
au profit du multiculturalisme.
Celui-ci est d'abord défini en 1972
comme l'affirmation des droits des
migrants et la participation à l'État
providence. À partir de 1975 jusqu'au milieu des années 1980, on
valorise les groupes ethniques. De
1985 à 1996 enfin, le modèle de
citoyenneté est fondé sur le multiculturalisme. Depuis cette date, un
antagonisme croissant à l'immigration et au multiculturalisme a
conduit l'Australie à adopter une
politique plus restrictive à l'égard
des nouveaux entrants.

**QUOTAS, CONTRÔLES ET CENTRES DE
RÉTENTION.** Aujourd'hui confrontée
à l'arrivée de clandestins et de demandeurs d'asile (illustrée, en
2001, par l'odyssée malheureuse de
434 boat people sur le bateau
Tampa), ce grand pays d'immigration, où 23 % de la population est
née à l'étranger (pour un total de
19,6 millions d'habitants), applique
un plafond annuel de visas
(93 000 visas d'entrée en 2002, dont
55 000 qualifiés et 38 000 regroupe-
ments familiaux) auxquels s'ajoutent les migrants temporaires, les
programmes vacances-travail, les
étudiants et les bénéficiaires du
programme humanitaire. Tests à
points, quotas annuels, facilitation
de la résidence permanente d'étudiants étrangers, absence de quotas
pour les Néo-Zélandais : tout est
fait pour attirer le capital humain.
La population d'origine asiatique
est en hausse depuis les années
1970 (Chine, Inde, Philippines).
Mais des centres de rétention ont
été créés pour ceux qui prolongent
illégalement leur séjour.

La mondialisation des migrations a eu pour effet, dans les pays d'accueil anciens et récents, de développer des théories et des politiques de « vivre ensemble », c'est-à-dire d'intégration des étrangers et des populations issues de l'immigration avec pour objectif une plus grande cohésion sociale. Certaines mesures s'appliquent aux flux migratoires, c'est-à-dire aux personnes qui arrivent, qui circulent (accueil, logement, scolarisation, diffusion de cours de langue aux familles, aux demandeurs d'asile, aux enfants, avec un accompagnement social et juridique). D'autres concernent les migrations installées avec vocation de devenir membres des pays où elles se sédentarisent (les politiques urbaines, la lutte contre les discriminations raciales, le dialogue des cultures et des religions, l'accès aux droits. La mise en œuvre de dispositifs faisant, selon les cas, une plus large part à l'assimilation ou au multiculturalisme en font partie.

Des villes globales

MÉTROPOLISATION. Paris, Berlin, Londres, Rome, New York, Los Angeles, Montréal, Istanbul ou Dakar ont pour point commun d'être parties prenantes d'un phéno- mène de « métropolitisation » car elles se situent au carrefour, au point d'arrivée ou de départ d'itinéraires migratoires où se croisent des migrations internes et des migrations externes. Des quartiers et des métiers ethniques s'y développent, des fractures sociales et des violences urbaines s'y déploient, le métissage et les com- munautarismes s'y expriment, le brassage des populations, des cultures et des reli- gions fait naître des revendications d'ethnicité et d'identité.

DES MÉTROPOLES FOYERS D'ÉCHANGE. L'exode rural dans les régions pauvres (Balkans, pays du tiers monde) se dirige vers de grandes métropoles de départ. Dans ces véri- tables foyers d'échanges prospère toute une économie liée à la frontière et à sa fer- meture : trafics de main-d'œuvre, d'êtres humains, de drogue, produits de contrebande. De grands marchés viennent matérialiser ces zones de friction et de rencontre entre deux mondes, au départ ou à l'accueil : Ceuta et Melilla dans l'en- clave espagnole du Maroc, Berlin et Vienne immédiatement après la chute du mur et les villes de la mer Noire entre Turquie et ex-URSS, ou des espaces d'échanges, plaques tournantes pour la migration, souvent à proximité des frontières Kaliningrad, Vlores en Albanie, Bucarest, Istanbul pour les plus proches de nous. Parfois c'est le mariage ou les réseaux religieux (chrétiens comme musulmans) qui servent de ticket d'entrée vers le rêve européen, puisque les frontières ne sont ouvertes qu'aux plus nantis (commerçants et hommes d'affaires, experts, étudiants universitaires).

Les philosophies et dynamiques du « vivre ensemble »

Les politiques d'immigration s'adres- sant aux nouveaux arrivants et aux populations installées sont de plus en plus dissociées : les jeunes des ban- lieues soulèvent des questions autres que les Afghans de Sangatte.

L'EUROPE. Presque tous les pays d'ac- cueil ont modifié entre 1980 et 2000, leur droit de la nationalité pour faire une plus large place au droit du sol. L'Europe du Nord a choisi l'exercice des droits politiques locaux pour les étran-

gers. L'égalité des droits sociaux entre étrangers résidents de longue durée et européens est acquise. Mais les modali- tés de lutte contre les discriminations, la place faite aux identités culturelles ne font pas encore consensus.

LE « NOUVEAU MONDE ». Aux États-Unis, au Canada et en Australie, les débats sur le multiculturalisme font partie de la crise de l'identité de ces pays où l'im- migration contribue à la définition de l'identité nationale. Mais ces pays

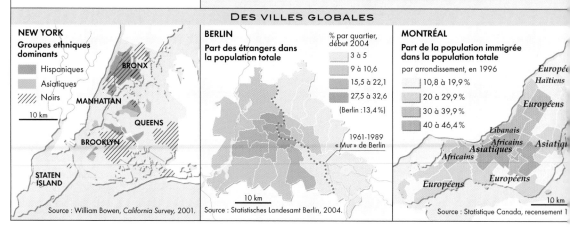

DES VILLES GLOBALES

NEW YORK
Groupes ethniques
dominants

- Hispaniques
- Asiatiques
- Noirs

BRONX
MANHATTAN
QUEENS
BROOKLYN
STATEN ISLAND

10 km

Source : William Bowen, *California Survey*, 2001.

BERLIN
Part des étrangers dans
la population totale

% par quartier,
début 2004

- 3 à 5
- 9 à 10,6
- 15,5 à 22,1
- 27,5 à 32,6
- (Berlin : 13,4 %)

1961-1989
« Mur » de Berlin

10 km

Source : Statistisches Landesamt Berlin, 2004.

MONTRÉAL
Part de la population immigrée
dans la population totale
par arrondissement, en 1996

- 10,8 à 19,9 %
- 20 à 29,9 %
- 30 à 39,9 %
- 40 à 46,4 %

Européens
Haïtiens
Européens
Libanais
Africains
Asiatiques
Asiatiques
Africains
Européens
Européens

10 km

Source : Statistique Canada, recensement 1

QUES DE « VIVRE ENSEMBLE »

LES MUSULMANS EN EUROPE

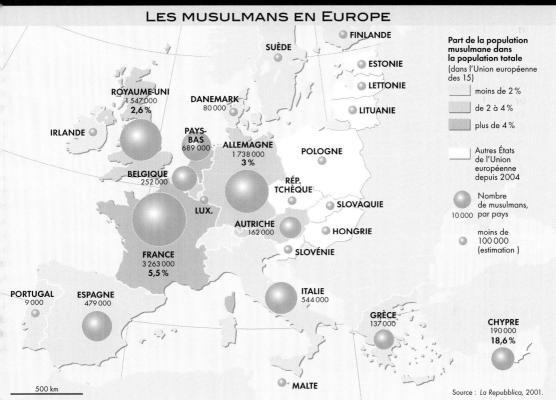

Part de la population musulmane dans la population totale
(dans l'Union européenne des 15)

- moins de 2 %
- de 2 à 4 %
- plus de 4 %
- Autres États de l'Union européenne depuis 2004

Nombre de musulmans, par pays 10 000

moins de 100 000 (estimation)

FINLANDE

SUÈDE

ESTONIE

LETTONIE

LITUANIE

ROYAUME-UNI
1 547 000
2,6 %

DANEMARK
80 000

IRLANDE

PAYS-BAS
689 000

ALLEMAGNE
1 738 000
3 %

POLOGNE

BELGIQUE
252 000

LUX.

RÉP. TCHÈQUE

SLOVAQUIE

AUTRICHE
162 000

HONGRIE

FRANCE
3 263 000
5,5 %

SLOVÉNIE

PORTUGAL
9 000

ESPAGNE
479 000

ITALIE
544 000

GRÈCE
137 000

CHYPRE
190 000
18,6 %

MALTE

500 km

Source : *La Repubblica*, 2001.

---

connaissent des mutations quantitatives, ethniques et culturelles de population parfois profondes.

LES NOUVEAUX PAYS D'ACCUEIL. Dans les pays d'immigration récente, les débats portent encore sur l'accueil des populations mobiles, sur les populations à statut précaire (sans-papiers, demandeurs d'asile, enfants des rues) et sur le travail clandestin, même si les autres questionnements commencent à affleurer.

"

Dans l'ère de la globalisation, la cause et la politique d'une humanité partagée font face aux pas les plus décisifs qu'elles ont eu à faire au cours de leur longue histoire.

ZIGMUNT BAUMAN, « VIVRE ENSEMBLE DANS UN MONDE PLEIN », *LE MONDE*, 2 FÉVRIER 2002.

"

L'histoire du « vivre ensemble »

UNE PÉRIODE ASSIMILATIONNISTE. Dans tous les vieux pays d'immigration (États-Unis, Canada, Australie, France), elle est symbolisée par l'image du creuset où l'individu nouvel arrivé devait se fondre dans les valeurs dominantes en abandonnant sa langue, sa religion, sa culture, ses pratiques collectives privées dans l'espace public. Un droit de la nationalité assez « absorbant » faisant une large place au droit du sol (c'est-à-dire à l'acquisition de la nationalité en fonction du lieu où l'on est né et non de l'origine des parents), un large accès au marché du travail, une volonté de faire table rase d'un passé douloureux y ont souvent aidé. Cette période a duré jusqu'au milieu des années 1960.

UNE PÉRIODE CIVIQUE. Des années 1970-1980, c'est la conquête de nouveaux droits dont le multiculturalisme fait partie, à travers la revendication du droit à la différence : égalité des droits sociaux, droit d'association, droits politiques, redéfinition de la citoyenneté autour de la participation civique, comme en France ou autour du multiculturalisme, comme au Canada et en Australie. Parfois les formes de mobilisation collective autour d'enjeux culturels, ethniques et religieux se trouvent en conflit avec les définitions plus individualistes de la citoyenneté, comme en France, tout en contribuant à enrichir le débat sur le contenu d'une citoyenneté moderne.

UNE PÉRIODE SOCIALE. Des années 1990-2000, où les violences urbaines, les exclusions territoriales posent la question, moins de l'affirmation des droits que des conditions sociales préalables à l'égalité des droits : accès aux droits, lutte contre les discriminations, tentatives de rattrapage du « capital social » par des actions positives fondées sur la couleur de la peau (comme aux États-Unis), des critères sociaux (comme en France, avec la politique de la ville), « gouvernance » de l'intégration au quotidien par délégation de compétences à des médiateurs ethniques mais aussi civiques, tentatives de dialogue avec l'Islam immigré, comme dans la plupart des pays européens.

La mondialisation des flux migratoires conduit à s'interroger à la fois sur les éventuelles alternatives à la migration, pour les pays d'accueil comme pour les pays de départ et sur les relations entre migrations et développement. Des tentatives régionales ont été expérimentées (accords Alena entre États-Unis, Canada et Mexique, accords de Barcelone dans l'espace euro-méditerranéen) mais le lien entre la libre circulation des marchandises et celle des hommes fonctionne davantage dans le sens de la complémentarité que dans celui de la compensation.

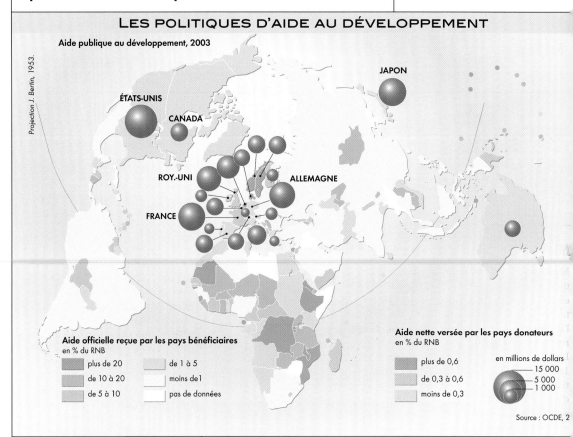

LES POLITIQUES D'AIDE AU DÉVELOPPEMENT

Aide publique au développement, 2003

Projection J. Bertin, 1953.

JAPON

ÉTATS-UNIS

CANADA

ROY.-UNI   ALLEMAGNE

FRANCE

Aide officielle reçue par les pays bénéficiaires
en % du RNB

- plus de 20
- de 10 à 20
- de 5 à 10
- de 1 à 5
- moins de 1
- pas de données

Aide nette versée par les pays donateurs
en % du RNB

- plus de 0,6
- de 0,3 à 0,6
- moins de 0,3

en millions de dollars
- 15 000
- 5 000
- 1 000

Source : OCDE, 2

> *Nous, même s'il y a la troisième guerre mondiale, on doit passer.*
>
> ALI BENSAAD, «VOYAGE AU BOUT DE LA PEUR AVEC LES CLANDESTINS DU SAHEL», LE MONDE DIPLOMATIQUE, MARS 2002).

La migration, facteur de développement ?
Le développement, facteur de migration ?

L'importance des transferts de fonds, les expériences, locales ou régionales des migrants acteurs du développement tendent à montrer que la migration est un élément d'accompagnement, parmi d'autres, du développement et du désenclavement d'un pays ou d'une région donnée. D'où la symbiose à court terme : plus il y a de migration, plus il y a de développement (en termes de transferts monétaires, culturels, voire démocratiques), plus il y a de développement, plus il y a de migration (car les déséquilibres socio-économiques génèrent de l'exode rural et de nouvelles mobilités). Les politiques de libéralisaton des échanges de marchandises (Alena, Barcelone, Mercosur) n'ont pas d'effet direct sur la diminution des flux migratoires.

LES TRANSFERTS DE FONDS DANS LE MONDE

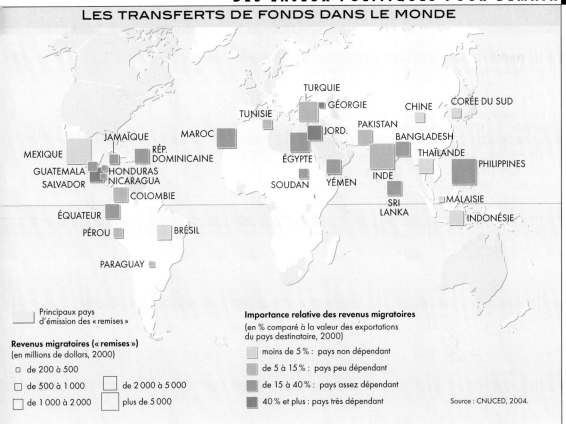

Principaux pays
d'émission des « remises »

Revenus migratoires (« remises »)
(en millions de dollars, 2000)

☐ de 200 à 500
☐ de 500 à 1 000
☐ de 1 000 à 2 000
☐ de 2 000 à 5 000
☐ plus de 5 000

Importance relative des revenus migratoires
(en % comparé à la valeur des exportations
du pays destinataire, 2000)

moins de 5 % : pays non dépendant
de 5 à 15 % : pays peu dépendant
de 15 à 40 % : pays assez dépendant
40 % et plus : pays très dépendant

Source : CNUCED, 2004.

Migration et développement : des relations réciproques

Migration et développement entretiennent des relations réciproques. La contribution de l'aide publique au développement à la réduction de la pression migratoire est faible. D'autres instruments, comme la libéralisation des échanges et l'intégration régionale, réduisent les écarts entre les niveaux de vie et peuvent diminuer l'incitation à émigrer, tout en développant un potentiel migratoire suscité par les restructurations qu'ils induisent.

De son côté, par les envois de fonds des immigrés (100 milliards de dollars en 1999), la migration favorise le développement des pays de départ. Des associations de développement local créées par les immigrés permettent le financement d'infrastructures collectives. Mais la migration est insuffisante pour créer à elle seule les conditions d'un réel développement.

Le flou qui règne sur les rapports entre migration et développement est surtout le reflet de la diversité et de la complexité des situations existantes : immigration et développement ont tendance à se générer mutuellement. Comme le codéveloppement n'est pas de nature à résoudre la question des migrations, il convient de le dissocier des politiques de réduction des flux migratoires.

Perspectives pour 2050

La migration des pays du Sud (avec une prévision de 126 millions en 2050, selon le rapport des Nations unies de 2002) ne représente que 1,5 % de leur population à cette date : un poids marginal dans l'avenir de ces pays, avec des retombées limitées sur leur essor car l'objectif du migrant n'est pas le développement, mais son mieux-être. Il ne cherche pas à être un acteur du développement, sauf si les retombées pour son pays rencontrent son projet individuel.

La migration, source des déséquilibres Nord-Sud ?

Compte tenu de la persistance et parfois de l'aggravation des grandes lignes de fracture du monde (démographique, économique, politique, culturelle), tout porte à croire que la pression migratoire va demeurer forte dans l'avenir, à cause des échanges accrus liés à la mondialisation de l'information et des transferts (fin des inerties sociales et économiques liées à un monde agricole et sédentaire). Mais celle-ci n'est pas de nature à bousculer la situation démographique ni économique des pays de départ. Sur la rive sud de la Méditerranée, fortement frappée par les flux migratoires, les politiques de développement et les migrations ont eu peu d'impact à court terme sur le développement de cette région. Les retours des émigrés ont été faibles, les migrants ont peu dynamisé l'activité économique car ils reviennent pour la retraite et les projets collectifs sont rares et de courte durée.

Les migrants de demain

Le phénomène de la migration touche aujourd'hui toutes les régions du monde et toutes les catégories sociales, que les individus soient eux-mêmes des migrants ou qu'ils soient concernés dans leur vie de sédentaire par la migration : exil ou mobilité des proches, mariages mixtes, voisinage, emploi, religion, éducation, mode de vie. Les frontières géographiques deviennent plus floues et certains aspirent à les voir disparaître, renouant parfois avec d'anciennes trajectoires migratoires ou en inventant d'autres en fonction des politiques de fermeture. Une économie du voyage apparaît, avec une sophistication des trafics à la mesure de celle des contrôles. Certains espaces se sont ouverts, comme dans l'Europe de l'est en ouest ou dans le monde russe et chinois ; d'autres se sont fermés, comme en Méditerranée ou dans les anciens espaces d'échanges coloniaux. Un imaginaire migratoire se construit, alimenté par les médias, la généralisation des passeports, les stratégies familiales, les offres de voyage malgré l'extension des crises, faisant émerger l'aspiration à un timide droit à la mobilité parmi les droits de l'homme. L'homme du XXIe siècle circule, entretenant des allégeances multiples et des réseaux transnationaux à travers le monde. Mais cette tendance de fond ne doit pas occulter les formes d'exclusion sociale ni de territorialisation des identités qu'elle génère, ni la fracture entre ceux qui ont des droits et ceux qui n'en ont pas.

Nous avons mené ce « voyage » à travers un monde en migrations, en essayant de dégager les lignes de force qui structurent les nouveaux découpages, sans nécessairement suivre la géographie, car les logiques politiques et économiques ont souvent plus de sens pour comprendre les phénomènes migratoires que le territoire proprement dit.

Quelques figures sociales se profilent :
- le demandeur d'asile, qui fuit les conflits, la corruption et, parfois, la misère et les désastres écologiques ;
- le migrant pendulaire, qui part pour mieux rester chez lui ensuite, accumulant des économies, en vendant au marché ou en effectuant des travaux saisonniers de courte durée ;
- la femme isolée, souvent d'origine urbaine et scolarisée, qui quitte une société trop étouffante et aspire à plus d'autonomie ;
- l'enfant des rues, mineur isolé qui voyage sans sa famille, celle-ci espérant ensuite pouvoir le rejoindre ou tirer de lui une subsistance ;
- le travailleur qualifié ou très qualifié, qui n'a aucun espoir chez lui de trouver un emploi à la mesure de sa formation et qui vit dans un espace transnational ;
- les membres de diasporas, qui forment des réseaux de travail et de présence à travers le monde ;
- le traditionnel travailleur manuel non qualifié et souvent clandestin aujourd'hui, qui effectue les travaux les plus pénibles et les plus mal payés, délaissés par les sociétés d'accueil.

Un va-et-vient permanent d'échanges de biens, d'informations, de modes de vie transite à travers ces migrations entre sociétés d'accueil et de départ.

Dans les pays d'installation, des métiers ethniques se dessinent dans les méandres de la segmentation du marché du travail et de la difficulté de se procurer des papiers, des réseaux transnationaux se construisent, des empires économiques, culturels et religieux s'édifient et les sociétés se transforment elles-mêmes par le métissage et le multiculturalisme, une nouvelle classe moyenne se profile, issue de l'immigration.

Dans les pays d'origine, à court et moyen terme, le codéveloppement et la migration fonctionnent de concert et s'aliment mutuellement. La fermeture des frontières a plutôt tendance à sédentariser les migrants qui réussissent à les traverser, alors que leur entrouverture favorise la mobilité.

La conquête de nouveaux droits fait aussi partie de cette transformation du monde par la migration (droit de vote, régularisation de sans-papiers, liberté de circulation, accès à la nationalité, droits sociaux, expression du religieux).

Les numéros placés à la suite des noms renvoient aux pages où sont traités ces termes ou ces notions.

ALENA *8-9, 40-41, 56-57, 68-69*
Accords de libre-échange nord-américains (Mexique-États-Unis-Canada).

ASILE CONVENTIONNEL *12-13*
Droit d'asile en application de la convention de Genève.

ASILE INTERNE *12-13*
Protection des personnes déplacées dans un lieu situé dans le pays d'origine ou à proximité mais hors du périmètre des conflits.

ASILE TERRITORIAL *12-13, 20-21*
Protection temporaire des réfugiés sur le territoire du pays d'accueil ne conférant pas le statut de réfugié de la convention de Genève.

ASSIMILATIONNISME
30-31, 54-57, 58-59
Principe consistant à vouloir fondre les nouveaux arrivants dans une culture homogène en faisant table rase de leurs spécificités. Cette notion a longtemps guidé la politique d'intégration aux États-Unis et en France au XXᵉ siècle. Elle a été abandonnée aux États-Unis, au Canada et en Australie au profit du multiculturalisme. Elle est aujourd'hui au centre des débats en France (sur les lieux de culte, la laïcité, la discrimination positive).

AUSSIEDLER *6-7, 26-27, 36-37, 38-39*
« Allemands de l'extérieur », population d'origine allemande installée parfois depuis Catherine II en Russie et dans les pays d'Europe centrale et orientale, retournés pour les deux tiers en Allemagne depuis la chute du mur de Berlin à la faveur du droit du sang.

BARCELONE (PROCESSUS DE BARCELONE)
8-9, 40-41, 68-69
Accord de coopération euroméditerranéen de 1995 entre la rive nord et la rive sud de la Méditerranée, destiné à assurer la paix, la sécurité et à promouvoir le développement dans la région.

BOAT PEOPLE *48-49, 64-65*
Réfugiés (d'Asie du Sud-Est, initialement) sur des bateaux à la recherche d'une terre d'accueil.

BRACERO PROGRAM *54-55, 62-63*
Accord d'engagement de main-d'œuvre temporaire, notamment agricole, entre les États-Unis et le Mexique, entre 1940 et 1965.

CODÉVELOPPEMENT *8-9, 40-41, 68-69*
Partage des initiatives et des politiques de développement, d'une manière concertée, entre pays d'immigration et d'émigration.
Le codéveloppement peut s'effectuer de manière interétatique ou décentralisée et non gouvernementale, par l'intermédiaire d'associations. Par exemple, les accords de coopération euroméditerranéens.

COOLIES *54-55*
Chinois employés au XIXᵉ siècle pour faire des travaux pénibles comme la construction des chemins de fer dans l'ouest des États-Unis.

DROIT DU SANG *30-31*
Droit d'acquisition de la nationalité fondée sur la filiation, c'est-à-dire la nationalité des parents.

DROIT DU SOL *30-31*
Droit d'acquisition de la nationalité fondée sur le lieu de naissance et/ou la durée de résidence dans le pays d'accueil.

DUBLIN (CONVENTION DE)
12-13, 20-21, 24-25
Signée en 1990, elle définit une politique d'asile commune et un dispositif de contrôle renforcé pour éviter les demandes d'asile multiples ou leur déplacement d'un pays à l'autre de l'Union européenne.

ETHNIQUE • ETHNIE
Référence à une communauté d'appartenance homogène fondée sur l'origine, la langue et la culture. Ce terme a été fortement utilisé à l'instar du sens anglo-saxon pour désigner les processus d'intégration à caractère identitaire, les phénomènes de discrimination et les processus d'exclusion sociale.

ÉTRANGERS • IMMIGRÉS *28-29*
L'étranger est le non-national

au sens du droit de la nationalité. L'immigré est celui qui est né dans un autre pays et qui a effectué une migration, qu'il ait ou non la nationalité du pays d'accueil ou d'origine. Cette distinction est une particularité française. Certains pays (États-Unis, Australie par exemple) ne comptabilisent que les populations nées dans un autre pays, c'est-à-dire les « immigrés ».

EURODAC *20-21, 22-23*
Convention européenne de 2000 consistant à identifier les passagers clandestins et délinquants au moyen de l'identification informatisée des empreintes digitales.

GENÈVE (CONVENTION DE)
12-13, 20-21, 26-27
Traité des Nations unies de 1951 relatif à la définition et à la protection des réfugiés. D'abord limité aux réfugiés en Europe, il a progressivement été étendu au monde entier.

GREEN CARD *16-17, 26-27*
Titre de travail permanent aux États-Unis tenant lieu de titre d'identité. C'est également le nom d'un programme d'accueil mis en place en 2000 en Allemagne pour accueillir des travailleurs qualifiés, notamment des informaticiens.

HCR *12-13, 14-15*
Haut Commissariat pour les réfugiés des Nations unies,

chargé de l'application de la convention de Genève de 1951.

MAQUILADORAS *56-57, 62-63*
Entreprises américaines installées en franchise le long de la frontière américano-mexicaine, côté mexicain, destinées à employer les Mexicains sur place et à limiter l'immigration vers les États-Unis.

MELTING POT *54-57*
Définition américaine du brassage des populations. Terme popularisé par une pièce de théâtre en 1908.

MERCOSUR *62-63, 68-69*
Accords d'intégration économique régionale en Amérique latine signés en 1995 (Argentine, Brésil, Uruguay, Paraguay).

MESTIZOS *60-61*
Nom donné aux métis dans toute l'Amérique latine.

MIGRATION PENDULAIRE
36-37, 38-39, 42-43
Migration de va-et-vient entre pays d'origine et pays d'accueil et de travail, sans vocation d'installation.

MULTICULTURALISME *30-31, 32-33, 54-57, 58-59, 64-65, 66-67*
Principe tendant à favoriser le développement des expressions culturelles au sein d'une même entité politique (État, région, commune). Il est notamment mis en pratique et théorisé (Charles Taylor) aux États-Unis, au Canada et en Australie (Stephen Castles).

NIKKEIJINS *6-7, 52-53, 62-63*
Immigrés d'origine japonaise installés au Brésil au cours du XXᵉ siècle et retournés récemment au Japon.

PUEBLA *62-63*
Le processus de Puebla, issu de la première conférence régionale sur les migrations qui s'est tenue au Mexique en 1996, est destiné à élaborer une coopération intrarégionale pour gérer la migration, les frontières communes, lutter contre le trafic d'êtres humains et protéger les droits des migrants irréguliers. Onze pays y participent : Belize, Canada, Costa-Rica, Salvador, États-Unis, Guatemala, Honduras, Mexique, Nicaragua, Panama, République dominicaine.

SALAD BOWL *54-57*
Littéralement « saladier », terme récent pour indiquer le mélange des cultures sans assimilation dans les États-Unis d'aujourd'hui.

SCHENGEN (ACCORD ET ESPACE DE)
22-23, 24-25, 36-37
Signé en 1985, l'accord de Schengen définit un espace communautaire sans frontière et la liberté de circulation des Européens et des détenteurs d'un visa Schengen, tout en renforçant le contrôle des frontières extérieures de l'espace Schengen, grâce à la mise en place en particulier du SIS (système d'information Schengen).

Le Royaume-Uni, le Danemark et l'Irlande n'en font pas partie aujourd'hui encore.

SOLDES ET FLUX
Termes de la démographie désignant, pour les soldes migratoires, la différence entre les entrées et les sorties d'un territoire dans une même période et, pour les flux, les entrées sur le territoire, c'est-à-dire la population qui circule par opposition à la population installée (les stocks).

TONTINE *44-45*
Prêt accordé à un individu ou à un groupe de façon tournante par prélèvement régulier et consenti d'argent auprès de la communauté d'appartenance.

TRABENDO *22-23*
Trafic de marchandises s'appuyant sur la différence des tarifs douaniers ou sur le commerce illégal des devises.

TRANSFERT DE FONDS *68-69*
Ou remise de fonds. Argent envoyé par les émigrés dans leur pays d'origine, correspondant à leur épargne destinée à subvenir aux besoins de la famille ou des proches restés sur place.

VILLE GLOBALE *66-67*
Concept défini entre autres par Saskia Sassen (voir la bibliographie) pour désigner une ville qui concentre l'essentiel du pouvoir économique, financier, culturel et politique, au-delà des

États, dans les différentes régions du monde et qui reçoit une population venant du monde entier. La ville globale est nécessairement multiculturelle. Quelques exemples : Berlin, Tokyo, New York, Montréal, Istanbul, Milan, Paris, Rome, Hongkong, Lagos, Francfort, Singapour, São Paolo.

VIVRE ENSEMBLE *28-29, 30-31, 66-67*
Objectif de cohabitation sereine entre nationaux et immigrés dans le respect de leurs différences. Le terme a été lancé en France en 1983 par Georgina Dufoix, ministre des Affaires sociales, au moment de la marche pour l'égalité (« marche des beurs »). C'est une façon de dépasser le dilemme et le débat « assimilation/interculturalisme » en insistant sur la question de la cohésion sociale.

APPROCHES GLOBALES, MONDIALISATION DES MIGRATIONS

PHILIPPE BERNARD, *Immigration : le défi mondial*. Paris, Gallimard-Le Monde, 2002, 348 p.

LUC CAMBREZY (dir.), Véronique LASSAILLY-JACOB (dir.), *Populations réfugiées : de l'exil au retour*. Paris, Éd. de l'IRD, 2001, 417 p.

STEPHEN CASTLES, Alaistair DAVIDSON, *Citizenship and migration: Globalization and the politics of belonging*. London, Macmillan, 2000, 258 p.

STEPHEN CASTLES, MARK MILLER, *The Age of migration: International population movements in the modern world*. New York, Palgrave, 2003, 338 p.

SYLVIE CHEDEMAIL, *Migrants internationaux et diasporas*. Paris, Armand Colin, 1998, 188 p.

STÉPHANE DUFOIX, *Les diasporas*. Paris, PUF, 2003, 127 p.

GÉRARD-FRANÇOIS DUMONT, *Les migrations internationales : les nouvelles logiques migratoires*. Paris, Sedes, 1995, 223 p.

MICHAEL ELBAZ (dir.), DENISE HELLY (dir.), *Mondialisation, citoyenneté et multiculturalisme*. Paris, L'Harmattan, 2000, 260 p.

Haut Commissariat des Nations unies pour les réfugiés, *Les réfugiés dans le monde : cinquante ans d'action humanitaire*. Paris, Autrement, 2000, 338 p.

« Migrations et avenir » (dossier), *Migrations société*, vol. 14 (n° 79), janvier-février 2002.

« Migrations et mondialisation » (dossier), *Migrations société*, vol. 16 (n° 91), janvier-février 2004.

JEANNETTE MONEY, *Fences and neighbours: The political geography of immigration control*. Ithaca, Cornell University Press, 1999, 247 p.

« Nouvelles mobilités » (dossier), *Hommes et migrations*, n° 1233, septembre-octobre 2001.

Organisation de coopération et de développement économiques (OCDE), Système d'observation permanente des migrations (Sopemi), *Tendances des migrations internationales*, 2003, 413 p.

Organisation internationale pour les migrations (OIM), *État de la migration dans le monde en 2000*. Genève, OIM, 2000, 308 p.

Organisation internationale pour les migrations (OIM), *World Migration 2003: Managing migration: Challenges and responses for people on the move*. Genève, OIM, 2003, 396 p.

NELLY ROBIN, *Atlas des migrations ouest-africaines vers l'Europe 1985-1993*. ORSTOM Éd-Eurostat, 1996.

SASKIA SASSEN, *Losing control? Sovereignty in an age of Globalization*. New York, Columbia University Press, 1996, 148 p.

SASKIA SASSEN, *La ville globale*. Paris, Descartes et Cie, 1996, 530 p.

GILDAS SIMON et al., *Géodynamique des migrations internationales dans le monde*. Paris, PUF, 1995, 429 p.

UNESCO, « La migration internationale en 2000 » (dossier), *Revue internationale des sciences sociales*, n° 65, septembre 2000.

MYRON WEINER, *The Global migration crisis: Challenge to states and to human rights*. New York, Harper Collins, 1995, 253 p.

CATHERINE WIHTOL DE WENDEN, *Faut-il ouvrir les frontières ?* Paris, Presses de Sciences Po, 1999, 120 p.

APPROCHES RÉGIONALES OU NATIONALES

KLAUS BADE, *L'Europe en mouvement : la migration de la fin du XVIIIᵉ siècle à nos jours*. Paris, Seuil, 2002, 636 p.

ÉTIENNE BALIBAR, *We, the people of Europe? Reflections on transnational citizenship*. Princeton, Princeton University Press, 2004, 291 p.

DIDIER BIGO, ELSPETH GUILD, *La mise à l'écart des étrangers : la logique du visa Schengen*. Paris, L'Harmattan, 2003, 145 p.

79

DAPHNÉ BOUTEILLET-PAQUET, *L'Europe et le droit d'asile : la politique d'asile européenne et ses conséquences sur les pays d'Europe centrale.* Paris, L'Harmattan, 2001, 396 p.

HAMIT BOZARSLAN, *La question kurde : États et minorités au Moyen-Orient.* Paris, Presses de Sciences Po, 1997, 384 p.

EMMANUELLE BRIBOSIA (dir.), ANDREA REA (dir.), *Les nouvelles migrations : un enjeu européen.* Bruxelles, Complexe, 2002, 284 p.

« Circulations migratoires : nouvelles dynamiques des migrations » (dossier), *Revue française des affaires sociales*, n° 2, avril-juin 2004.

PHILIPPE DEWITTE (dir.), *Immigration et intégration : l'état des savoirs.* Paris, La Découverte, 1999, 442 p.

« Les diasporas », *Cahiers d'études sur la Méditerranée et le monde turco-iranien* (CEMOTI), n° 30, 2000.

DANA DIMINESCU, *Visibles mais peu nombreuses : les circulations migratoires roumaines.* Paris, Éd. de la Maison des sciences de l'homme, 2004, 339 p.

JACQUES DUPAQUIER (dir.), YVES-MARIE LAULAN (dir.), *Ces migrants qui changent la face de l'Europe.* Paris, L'Harmattan, 2004, 264 p.

« Éclats de frontières » (dossier), *La Pensée de midi*, n° 10, été 2003.

« Enfants sans frontières » (dossier), *Hommes et migrations*, n° 1251, septembre-octobre 2004.

« Europe et migrations » (dossier), *Migrations société*, vol. 15 (n° 87-88), mai-août 2003.

« L'Europe face aux migrations » (dossier), *Esprit*, n° 12, décembre 2003.

« Europe : ouvertures à l'Est » (dossier), *Hommes et migrations*, n° 1230, mars-avril 2001.

PHILIPPE FARGUES, *Générations arabes : l'alchimie du nombre.* Paris, Fayard, 2000, 349 p.

« International migration in Asia and Europe: Experiences and perspectives », *Asian and Pacific Migration Journal*, vol. 11 (n° 4), 2002.

RUSSELL KING (dir.), GABRIELLA LAZARIDIS (dir.), CHARALAMBOS TSARDANIDIS (dir.), *Eldorado or fortress? Migration in Southern Europe.* Londres, Macmillan, 2000, 351 p.

DENIS LACORNE, *La crise de l'identité américaine : du melting pot au multiculturalisme.* Paris, Fayard, 1995, 394 p.

WENCESLAS DE LOBKOWICZ, *L'Europe et la sécurité intérieure.* Paris, La Documentation française, 2002, 241 p.

MARCO MARTINIELLO, *La nouvelle Europe migratoire : pour une politique proactive de l'immigration.* Bruxelles, Labor, 2001, 87 p.

« Migrations et mobilités au sud », (dossier), *Migrations société*, vol. 15 (n° 90), novembre-décembre 2003.

« Migrations et frontières » (dossier), *Projet*, n° 272, décembre 2002.

« Nomades et clandestins » (dossier), *Revue des sciences humaines*, n° 1, 2003.

MICHEL PERALDI (dir.), *La fin des norias ? Réseaux migrants dans les économies marchandes en Méditerranée.* Paris, Maisonneuve et Larose, 2002, 495 p.

ANNE DE TINGUY, *La grande migration : la Russie et les Russes depuis l'ouverture du rideau de fer.* Paris, Plon, 2004, 662 p.

« Union européenne : élargissement à l'est et migrations » (dossier), *Migrations société*, vol. 16 (n° 92), mars-avril 2004.

CATHERINE WIHTOL DE WENDEN, *L'immigration en Europe.* Paris, La Documentation française, 1999, 165 p.

CATHERINE WIHTOL DE WENDEN, *L'Europe des migrations.* Paris, La Documentation française, 2001, 87 p.